핵심만! 교양 교육학

- 뼈대만 간추린 교육학 개론 -

핵심만! 교양 교육학

뼈대만 간추린 교육학 개론

나. 진보주의 - 킬페트릭
다. 본질주의 - 브리드
라. 항존주의 – 허친스, 아들러, 마리땡
마. 실존주의 - 니체, 하이데거, 사르트르
바. 분석철학 - 비트겐슈타인
사. 포스트모더니즘

Ⅲ. 교육행정

Ⅳ. 교육심리

V. 교육과정

VI. 교육공학

VII. 교육평가

Ⅰ. 교육철학

1. 진리와 본질

교육철학을 말하기 전에 우리는 진리와 본질을 어떻게 바라볼 것인가에 대해 생각해 볼 필요가 있다.

원시시대의 진리와 본질은 토테미즘에 기반을 두고 있다. 원시 인류와 동식물이 특수한 관계를 지니고 있으며, 그 관계를 둘러싸고 형성된 신념의 체계를 진리와 본질로 보았다. **고대시대**에는 신화를 중심으로 진리와 본질에 접근하였다. 고대 인류의 기원이 담긴 신화들 속 신들의 이야기와 자기 민족의 시조에 관련된 신화 속에 담긴 이야기들에서 진리와 본질을 찾았다. **중세시대**에는 기독교를 중심으로 종교적 진리와 본질을 이야기하는 시각이 중심이었으며, **근대와 현대**에 들어서는 과학적 탐구와 인간의 이성을 중심으로 진리와 본질에 접근하고자 하였다.

우리가 이러한 진리와 본질에 대한 시각을 철학이라 부를 때, 대표적 관점을 절대주의와 상대주의라 부를 수 있으며, 그 이외의 관점을 회의주의로 부를 수 있다. 이러한 진리와 본질에 대한 관점들은 역사의 흐름 속에서 다양한 철학의 영역으로 정리되어 왔다. 마찬가지로 이러한 다양한 시각들에서 출발한 교육적 관점을 우리는 **교육철학**이라고 부르며, 시대에 따른 대표적인 교육적 흐름을 우리는 **교육사조**라고 부른다.

2. 철학과 교육

고대와 중세에는 진리와 본질이 무엇인지에 대한 **존재론**이 철학의 중심이었고, 근대에는 우리의 인식이 진리와 본질에 어떻게 도달하는지에 대한 **인식론**이 철학의 중심이었으며, 현대에는 다시 진리와 본질에 대한 다양한 전환적 사고의 관점에서 파악하고자 하는 **존재론**이 철학의 주된 흐름이 되었다.

교육에서도 마찬가지로 고대와 중세에는 존재론적 교육철학이 존재하였다. 고대에는 소크라테스와 플라톤의 **이상주의**와 아리스토텔레스의 **실재주의**, 탈레스 등 자연철학자들의 **자연주의**가, 중세에는 기독교 중심의 교부철학과 스콜라철학 등의 **신본주의**가 교육철학의 주류를 이루었다. 중세 이후 르네상스와 종교개혁 시기에는 **인문주의**가 강조되었고, 근대 초기에는 인류의 과학과 이성의 발달로 인한 **실학주의와 계몽주의**가 주류를 이루었다. 근대 후기에 이르러서는 페스탈로치, 헤르바르트, 프뢰벨 등의 교육사상가가 중심이 된 **신인문주의**가, 현대에 와서는 듀이의 **프래그머티즘**, 킬페트릭의 **진보주의**, 그리고 진보주의에 대응하는 흐름으로 **본질주의, 항존주의**까지 중세 이후 다양한 인식론적 교육철학이 이어져 왔다. 최근에는 **실존주의, 분석철학, 포스트모더니즘** 등 인간의 존재와 인간의 개성에 초점을 둔 존재론적 교육철학이 주류를 이루며 다양한 교육이념과 사상이 공존하고 있다.

Ⅱ. 교육사조

1. 고대와 중세 (B.C. 6C.~ A.D. 14C.)

가. 이상주의 - 소크라테스, 플라톤

이상주의는 우주의 실체를 영혼, 관념, 또는 정신으로 보는 철학이다. 이상주의는 우주에 궁극적 실체가 존재한다고 보며, 그 우주를 고도로 일반화된 지성과 의지로 생각한다. 실체를 물질적이라기보다는 영적인 것으로 보며, 인간도 본질적으로는 영적인 존재이고 불멸의 성격을 지닌 것으로 본다. 이상주의에서는 영혼이 궁극적인 것이지만 '실재하는 세계'와 '인식되는 세계'를 분리하고 있다. 실재하는 세계는 규칙적이고 질서정연하며 불변하는 반면 인식되는 세계는 변화하고 불완전하며 불규칙적이고 무질서하다고 보았다. 이러한 이상주의에서 교육의 과제는 감각과 생각으로 인식되는 불완전한 세계와 완전한 세계를 구별하는 일이다.

이상주의의 대표적인 인물로 고대 그리스의 철학자 소크라테스(Socrates, B.C. 469~399)와 플라톤(Plato, B.C. 429~347)이 있다. 근현대에는 칸트(Immanual Kant, 1724~1804), 피히테(Johann Gottlieb Fichte, 1762~1814), 헤겔(G. W. Friedrich Hegel, 1770~1831), 프뢰벨(Friedrich Wilhelm August Fröbel, 1782~1852) 등을 들 수 있다.

이상주의 교육에서 '앎'의 과정은 이미 개인의 마음에 가지고 있었던 것을 회상시키거나 재생시키는 것으로 인식된다. 회상에 의해서 사람들은 그 자신에게 내재되어 있는 우주의 정신을 발견하게 된다. 직관과 통찰, 내적 자각을 통하여 개인은 자신의 마음을 보게 되고 그로부터 절대 진리를 발견하게 된다. 알게 된 것은 이미 자신의 마음 속에 있었던 것이다. 가르치고 배우는 일은 바로 이러한 잠재된 지식을 의식 속으로 전환시키는 일이 된다. 이상주의에서의 진리 형성은 일관성이 있고 체계적이며 질서정연한 관계성이 있어야 한다. 그러한 논리의 정합성이 중요하며, 부분과 전체와의 관계, 대우주와 소우주와의 관계에서 치밀한 체계가 있어야 한다.

이상주의 교육의 주된 목적은 학습자가 대우주를 완전히 인식하는 데에 있다. 그러므로 학습과정은 포괄적인 안목과 통찰을 통하여 점진적으로 학습자의 정신적인 인식 수준을 높여서 학습자의 자아가 우주나 절대 정신으로 향할 수 있도록 하는 것이다. 이상주의자는 여러 과목이 체계적으로 상호 연관성을 지닐 수 있도록 조직화된 지식체계로서의 교과 중심 교육과정을 중시한다. 이상주의 교육과정은 기본적으로 개념화하고 관념화한 지식 위주의 교과목이나 학습 내용이 중심이 된다. 이러한 여러 가지의 지식체계들은 절대 진리에 기초하고 있고 그것을 설명하기 위한 것으로, 위계적이며 잘 통합된 고도로 일반화된 과목으로 귀착된다. 그러한 과목은 인간과 신, 우주의 본질적인 관계를 규명하는 철학과 신학을 들 수 있고, 이러한 위계에 따른 특수한 과목들은 일반성을 더 갖춘 과목들과의 관계 속에서 합리화된다. 일반성을 더 갖춘 과목은 시대적 특수성을 초월한 추상화된 과목들이다. 그러한 과목으로는 추상적 논리로 구성된 순수 형식을 띤 수학, 문화적으로 여러 가지 모범적인 도덕적 사례를 보여주는 역사와 문학 등이 있다. 그리고 특수한 상황적 관계를 설명한다고 보는 과학이 보다 낮게 자리잡은 과목이며, 기본적인 의사소통을 위한 언어 과목이 기초 수준에서 다루어졌다.

이상주의에서의 교육은 인간 개개인인 소우주에 대우주의 절대 진리나 보편 진리가 내재하고 있다고 보기 때문에 학습자 자신의 내적인 사색을 통하여, 즉 자아성찰을 거쳐서 절대 지식을 회상 또는 인식한다고 본다. 이상주의 교사는 여러 가지 교육적 방법에 익숙해야 하며, 이상적인 결과를 끌어내기 위한 가장 효과적인 방법을 잘 알고 있어야 한다. 교사와 학생과의 관계에서는 교사가 중심적이고 결정적인 역할을 가진다. 학생이 미성숙해 있을 경우 교사는 학생이 자신의 입장에서 스스로 성숙된 인식과 세계관을 형성하도록 독려해야 한다. 학습자의 영적인 본성과 인격은 고귀한 가치를 지녔으므로, 교사는 학습자를 존중해야 하며 학습자의 능력을 최대한 실현할 수 있도록 지원해야 한다.

나. 실재주의 - 아리스토텔레스

실재주의는 이상주의와는 대조적으로 사물이 사람들의 지각과는 별개로 존재한다고 본다. 실재주의에는 고대 그리스에서 시작한 고전적 실재주의, 자연과학이나 과학적 방법으로 실재를 탐구하는 과학적 실재주의, 그리고 자연계의 창조자를 신으로 보고 있는 신학적 실재주의를 들 수 있다.

실재주의의 대표적인 인물로는 고대 그리스의 철학자 아리스토텔레스(Aristotle, B.C. 384~322)가 있다. 중세에는 토마스 아퀴나스(Tomas Aquinas, 1225~1274)와 같은 스콜라 철학자들에 의해서 아리스토텔레스의 철학과 기독교 신학이 결합하게 된다. 근현대에 와서는 코메니우스(Johann Amos Comenius, 1592~1670), 헤르바르트(Johann Friedrich Herbart, 1776~1841), 러셀(Bertrand Russell, 1872~1970), 허친스(Robert Hutchins, 1889~1977), 아들러(Mortimer Adler, 1902~)와 같은 사람들이 실재주의 이론에 기초하여 교육론을 펼치고 있다.

실재주의에서의 형이상학은 기본적으로 인간의 마음과는 별도로 독립적으로 존재하고 있는 객관적인 질서나 법칙이 존재한다는 것이다. 사물들이 시간과 공간에 존재하며 사람들은 이를 감각과 추상화 작업을 통해 인식할 수 있는 대상이라고 생각한다. 그리고 그 사물은 두 차원, 즉 질료(matter)와 형상(form)으로 구성되어 있다고 주장한다. 질료는 어떤 형태의 사물로 되어질 가능성과 잠재성인데, 이는 일정한 구조와 의도에 의해서 어떤 형태로 형성되어질 성질을 의미한다. 예를 들면, 목수가 나무를 사용하여 의자나 책상을 만든다고 할 때 나무는 의자나 책상이 될 가능성과 잠재성을 지녔다는 점에서 질료가 되고 의자나 책상은 형태로 형성되어진 형상인 것이다. 이렇게 질료와 형상은 사물이 지니고 있는 필수적인 것으로 실재를 이렇게 이원론적으로 보는 것이 실재주의 형이상학이다.

실재주의에서 '앎'의 과정은 사람의 마음과 그의 외적 세계와의 상호작용에 의해서 이루어진다. 이러한 상호작용은 사람의 감각기관과 사물이 발산하는 에너지 사이에서 일어난다. 사물이 발하는 향기, 빛, 소리, 온도, 힘 등에 대한 감각으로 인간은 감각적 경험과 감각적 정보를 얻으며, 그것을 마음이 보다 체계적으로 정리하고 분류한다는 것이다. 이러한 추상화 작용을 통하여 인간은 감각적인 지식으로부터 기본적인 개념을 형성한다는 것이다. 이와 같이 감각과 추상화 작용의 과정은 질료와 형상으로 구성되어진 이원론적 우주관과 일치한다.

실재주의 교육의 목적은 사람들의 잠재력(질료적 성질)을 최대한으로 계발하여 행복하게 하는 것이다. 이를 위해 첫째, 조직화된 체계적인 지식을 연구하고 배움으로써 사람이 갖고 있는 가장 큰 힘인 이성을 계발한다. 둘째, 사람들이 스스로 합리적 선택을 할 수 있도록 격려하고 그들의 잠재성을 최대로 실현할 수 있도록 도우며, 합리적인 위계적 질서체제에 자신들의 위치와 역할을 통합시키는 일을 하도록 돕는 것이다.

실재주의 교육은 인간의 이성을 고양시키기 위해 여러 과목들로 체계화된 지식을 미숙한 학생에게 탐구할 수 있는 기능과 방법을 가르치는 것을 중시한다. 이에, 교사는 학생에게 지식의 체계와 탐구의 기술을 전달할 수 있어야 한다. 또한 한 교과목이 다른 교과목과 어떻게 연결되는가에 대해서 잘 알고 있어야 한다. 교사는 강의, 토론, 실험 등의 다양한 교수학습방법을 구사할 수 있어야 하며, 교과목에 대한 내용적 지식과 교육적 방법을 잘 알고 있는 전문가여야 한다. 교사는 인문학뿐만 아니라 과학에 대해서도 익숙하도록 교육을 잘 받은 사람이어야 한다. 학생은 기본적으로 자기선택, 자기통합, 자기실현을 할 수 있는 기본적인 권리를 가진 존재로서, 지식 영역에 대해서 폭을 넓혀가면서 성숙해 가는 과정에서 전문적인 교사를 만날 권리와 잘 교육된 교사를 만날 권리를 가진다. 그러나 실천과 응용이 요구되는 학습의 과정에서는 학습자로서의 책임있는 역할이 요구된다.

다. 자연주의 - 탈레스, 헤라클레이토스, 데모크리토스

자연주의는 자연이 실체의 본질이라 생각한다. 자연 그 자체가 인간 존재와 인간성을 포함한 모든 존재를 설명해 주는 전체적 체제라고 본다.

자연주의의 대표적인 인물로는 고대 그리스의 탈레스(Thales, B.C. 624~545), 헤라클레이토스(Herakleitos, B.C. 540?~480?), 데모크리토스(Demokritos, B.C. 460?~370?), 엠페이도클레스(Empedokles(B.C. 495~435) 등이다. 근대에 들어서 이를 체계화시킨 대표적 인물로는 루소(Jean Jacques Rousseau, 1712~1778)와 그의 아이디어를 활용한 페스탈로치(Johann Heinrich Pestalozzi, 1746~1827), 그리고 다윈의 진화론을 지식사회에 적용하여 고도의 도덕적 체계를 강조한 스펜서(Herbert Spencer, 1820~1903) 등을 들 수 있다.

자연주의 교육은 사회의 여러 장치나 인공적인 것보다는 자연 그 자체, 즉 원초적이며 자유스럽고 자발적인 것 그리고 단순한 것을 추구한다. 자연주의자들이 고유하게 사용하고 있는 자연이라는 용어에는 보편적인 것, 우주적인 질서라는 뜻이 포함되어 있다. 자연주의자들은 자연상태에 있는 인류학적인 인간에 관심을 둔다. 원초적이고 원시적인 상태의 인간의 삶이란 때묻지 않은 본능에서 자극되는 순수한 동기에 의하여 이끌린다고 생각한다. 이러한 인간관은 인간을 신의 은총을 저버린 존재라는 기독교의 원죄설과는 상반되는 것이다. 이들에게 자연이란 항상 진리와 인간 경험의 원천이다. 자연주의자들은 형이상학적인 것보다 사회학적인 현상을 탐구하는 것에 더 가치를 둔다.

자연주의에서 '앎'의 과정은 실재의 구성 요소를 인식하고 분석하는 방법으로 감각적 경험을 강조한다. 자연적인 사람은 추상적인 신학이나 철학, 법규 등과는 상호 교류하지 않고 직접적인 경험을 통하여 상호작용한다. 자연주의에서는 유아기에서 성인기까지 인생의 단계를 설정하고, 각 발달단계에 나타나는 생활을 특징에 따라서 교육을 한다. 그것은 신체적, 심리적인

준비에 따라 교육이 달라진다는 것으로, 사람을 각 발달단계에 적절한 개인의 준비와 발달에 알맞은 적합한 교육을 적용한다. 즉 교육은 각 인간의 발달단계에 적합한 것이어야 한다는 관점이다.

자연주의 교육은 인간의 욕구와 준비성에 기초를 두고, 교육과정을 구성하는 주요 요소로서 어린이의 본성과 흥미, 욕구를 근본으로 삼는다. 이상주의자들이나 실재주의자들이 중요하게 여기는 위계적으로 잘 짜여진 교과를 거부한다. 어린이들은 그들이 배우기를 원하고 배울 수 있도록 준비된 것을 학습한다고 보며, 인간의 교육활동에는 교과목들을 숙달하는 것보다 개개인을 성장과 발달로 이끄는 풍부하고 다채로운 경험적 활동들이 많이 있음을 강조한다. 자연주의자들은 기존 지식이 그릇된 방식으로 인간을 교화하여 결국 인간의 원초적이고 순수한 덕성으로부터 이탈하게 한다고 비판한다. 예술과 과학은 잘못 사용되어서 인간의 본래적 가치를 위해서라기 보다는 권세와 위엄을 얻기 위해서 악용되고 있다고 본다.

자연주의에서 요구하는 교사상은 다음과 같다. 첫째, 자연적인 환경에서 교육의 역할을 음미하면서, 자연을 해치지 않고 자연적 힘의 흐름을 잘 알아 조화를 이룰 수 있는 사람이다. 어린이의 본성을 잘 인식하고 성장과 발달의 수준을 파악하여 환경과 어울려 교류하면서 성장할 수 있도록 어린이를 돕고 격려하여 학생이 가지고 있는 능력을 잘 표현할 수 있도록 자극할 수 있는 사람이다. 둘째, 강요적이지 않으며 허용적이고 기다릴 수 있어서 서둘지 않아야 한다. 또한 발견학습 방법에 잘 숙달되어 있어야 한다. 학생을 대신하여 지식을 주입하는 대신에 학생 스스로 지식을 발견할 수 있도록 해야 한다는 것이다. 인내를 보이면서 교사가 학생에게 진실이 무엇인가를 말하지 않고 한 발짝 뒤에 물러서서 학생 스스로가 지식을 발견하도록 돕는 일을 할 수 있어야 한다. 셋째, 학생의 학습과정에서 교사는 안내자로서의 역할을 할 수 있어야 한다. 항상 존재하면서도 결코 감독자가 아니다. 교사의 통제는 미미하면서도 학생에게 학습 환경을 적합하게 형성하여 학생의 성격과 인성을 형성시키는데 사람이다.

라. 신본주의 – 교부철학, 스콜라철학

신본주의는 일차적으로 인간을 순종과 신앙으로 이끌고 기독교적 완전성으로 인도하는 것을 목표로 한다. 이를 통해 인간을 종교적, 교회적 공동체에서 활동하는 구성원으로 육성하여 천국의 시민이 될 수 있도록 하는 것을 목표로 한다.

신본주의의 대표적 인물로는 토마스 아퀴나스(Thomas Aquinas, 1225~1274)를 들 수 있다. 그는 아리스토텔레스의 철학체계를 수용하면서 스콜라 철학을 대성시킨 학자이다. 그의 학문적 주된 관심사는 이성과 신앙의 문제였다. 그는 진리를 두 개의 범주로 구분하여 하나는 이성으로 밝힐 수 있는 것이고, 다른 하나는 이성으로 진리를 밝힐 수 없는 것이었다. 즉 그에 의하면, 진리에는 이성의 진리와 신앙의 진로가 있는데 신앙적 진리는 이성적 진리와 모순되는 것이 아니라 이성을 보강하고 완성하는 것이라 생각하여 양자의 조화를 추구하였다. 이를 통해 인간의 목적이 지상에서의 행복한 상태에 도달하는 것을 넘어서 신의 세계를 인식하는 보다 높은 데에 있다고 주장하였다.

중세 기독교적 교육기관으로는 교리문답을 중심으로 초등교육을 담당하였던 문답학교, 문답학교의 교사양성을 목적으로 한 고급문답학교, 문답학교와 고급문답학교보다는 높은 수준의 교육을 통해 교회의 성직자를 양성하기 위한 각 교구의 본산 소재지에 세운 사원학교, 왕족들의 교육을 위해 궁정에 세운 궁정학교, 수도사를 양성하기 위해 수도원에 부속된 학교로 설립한 수도원학교 등이 있었다.

신본주의 시기의 교육은 원래 평등주의에 기초하고 있었으나 중세 봉건사상과 결합하면서 새로운 형태의 계급구조를 형성하게 되었다. 따라서 중세 계급구조와 결합한 기독교는 지배계급의 지배를 정당화시키기 위하여 인간의 눈을 현세에서 내세로 돌리는 교육을 실시하게 되었고, 혁신이나 발전보다는 신 중심의 문화를 지향함으로써 현실을 탐구하는 자연과학의 발전이 멈춘 시기였다. 반면, 중세 봉건제도의 산물로 기사도 교육을 들 수 있다. 기사도 교육은 무지한 기사들에게 기독교 정신을 습득시킴으로써 용기, 충성, 관용 등과 같은 군사적 미덕과 예의, 공손, 자비 등의 사회적 미덕을 갖추게 하였다. 기사의 자격을 얻기 위해서는 7세부터 부모를 떠나 명문가에 들어가 예의범절과 무예를 익히고, 14세부터는 무사의 신분이 되어 기사의 7가지 기예(승마 수영, 투창, 검술, 수렵, 장기, 시)를 비롯한 궁정문화 전반에 대한 수업을 받고 21세가 되어 기사로 임명되었다.

신본주의 시기에는 새로운 교육으로 시민학교와 대학이 발생하였다. 중세말 십자군 전쟁을 통해 전쟁물자를 수송하고 전리품을 반입하는 과정에서 이탈리아 남부 항구도시를 중심으로 무역과 상업이 번창하는 신흥도시의 시민계급이 형성되었다. 십자군 전쟁의 결과 봉건제도가 몰락하고 시민사회가 성립되는 시대적 변화 속에서 시민계급은 영주로부터 독립하게 되었고 교회의 권위는 실추되었다. 이와 같이 실질적 세력을 장악한 시민계급은 자신들의 실생활에 필요하고 알맞은 교육, 즉 직업적이고 생산적인 교육을 필요로 하였고, 이러한 요구로 등장하게 된 것이 바로 길드학교(guild school)이다. 또한 십자군 전쟁의 결과 동서문화의 교류가 활발해 지면서 현실적 학문을 받아들이며 상공업과 함께 법학과 의학을 중심으로 세속적 학문이 발달하면서 대학이 생겨나게 되었다.

중세 신본주의는 기독교 중심의 봉건사회 지배질서 속에 인간의 이성이 극도로 제한되고 내세의 신을 위한 인생관이나 세계관으로 일관하였으며 신 중심의 삶을 추구하는 시기였다. 하지만 중세 말기의 시민계급과 대학의 등장은 오늘날 실용적 가치를 추구하는 교육과 학문적 연구의 자율성 확립에 사상적 기초를 제공해주었다는 점에서 의의가 있다고 할 수 있다.

2. 르네상스와 종교개혁 (14~16C.)

가. 인문주의

인문주의 시기는 르네상스와 종교개혁을 담은 근대문화 생성의 기반이 되는 시기라 할 수 있다. 인문주의는 중세 기독교의 교리중심과 내세주의에서 벗어나 인간 본연의 상태로 돌아가려는 사상으로, 과거 중세의 신본주의에서 인본주의로, 내세주의에서 현세주의로, 금욕주의에서 자연주의로, 권위주의에서 이성주의로, 억압주의에서 자유주의로, 교회중심에서 개인중심으로, 특권층중심교육에서 초등보통교육으로까지의 변화를 특징으로 한다.

인문주의 교육의 형태로는 자유교양교육, 고전중심교육, 시세로주의교육 등이 있다. **자유**

교양교육은 지덕체의 조화로운 발달을 도모함으로써 인간적 교양을 갖춘 자유인을 길러내고자 하는 교육으로, 이러한 이념은 플라톤과 아리스토텔레스의 교육사상을 기초로 하였다. **고전중심교육**은 자유교양인을 길러내기 위한 수단으로 고전문학의 학습이 강조된 것을 의미한다. 고대 그리스 및 로마의 문헌들을 공부함으로써 그 속에 담겨져 있는 인본주의적 정신과 사상을 받아들이고자 하는 교육이었다. **시세로주의교육**은 로마의 위대한 웅변가였던 시세로의 유명한 문장을 암송하고 교육에서도 그의 문장구성 형식을 강조함으로써, 수단이 되어야 할 고전어 교육이 그 자체가 목적이 되어 전인교육으로서의 인문주의를 방해하게 된 교육을 의미한다. 그 외에도 초등의무교육과 공교육 제도의 기틀이 형성된 시기이다.

　　인문주의의 대표적 인물로는 에라스무스(Erasmus von Rotterdam, 1446~1536)와 루터 (Martin Luther, 1483~1546)가 있다.

　　1) 에라스무스 - 보통교육

　　기독교적 인문주의자인 에라스무스는 교육의 목적을 다음과 같이 규정하였다. 첫째, 경건한 마음을 길러야 한다. 둘째, 도덕적 정신의 함양과 선량한 생활을 습관화해야 한다. 셋째, 성서문학을 통해 마음의 양식을 풍부하게 해야 한다. 넷째, 라틴어를 잘 쓸 수 있도록 고전어 학습을 철저히 해야 한다.

　　에라스무스는 저서 「아동의 자유교육론(The Liberal Education of Children)」(1529)을 통해 모든 교육은 빈부, 귀천, 남녀의 차별없이 이루어져야 한다는 보통교육과, 개성에 의한 교육이 이루어져야 한다고 주장하면서 교육방법의 기본원리를 다음과 같이 밝혔다. 첫째, 체벌은 학습의 동기를 유발하는데 도움이 되지도 않고 필요하지도 않다. 자유인에게는 자유스러운 교육이 실시되어야 한다. 체벌은 자유인을 노예화할뿐이며, 체벌없는 자유교육이 참된 교육이다. 둘째, 아동의 성격을 면밀히 조사하여 개별적인 학습이 이루어지도록 해야 한다. 개성이 다양한 학생들에게 동일한 내용을 동일하게 가르쳐서는 안된다. 셋째, 아동의 정신 발달과 흥미에 따라 가르치는 교재의 양을 조절하여야 한다. 넷째, 라틴어의 학습을 위해서는 일상생활의 대화뿐만 아니라 모든 글과 편지를 라틴어로 해야 한다.

　　에라스무스의 교육론은 전인교육과 보통교육에 바탕을 둔, 아동중심교육, 개별화교육, 수준별교육을 교육사상에 제시하였다는 점에서 의미가 있다.

　　2) 루터 - 의무교육

　　종교개혁에 앞장 선 루터는 많은 저작과 설교 활동을 통해 그의 교육사상을 제시하였다. **첫째, 아동 의무교육**을 주창하였다. 모든 부모는 귀천, 빈부, 남녀의 구별없이 자녀를 학교에 보내야 하며, 정부는 그 국민들에 대해 아이들의 취학을 강제로 규정할 수 있다고 하였다. 이는 초등 의무교육의 초석을 마련하였다. **둘째, 공교육제도의 확립**을 주창하였다. 루터는 교육의 국가 책임론을 강조하였으며, 학교는 공공단체의 공적 경비에 의해 공적제도로 운영되어야 한다고 하였다. 이는 오늘날 공교육 제도의 기초를 형성하게 되었다. **셋째, 학교 교육과정**에 있어서 풍부한 교육과정을 요구하였다. 인문주의적 정신에 입각하여 고전어는 물론, 역사,

자연, 음악, 체육 등의 다양한 교과를 중시하였다. **넷째, 교수방법의 개선**을 요구하고 사물 자체에 대한 인식을 강조하였다. 언어는 문법을 통해서가 아니라 실제 연습을 통해 익혀야 하므로, 사물에 관한 인식은 말에 의한 인식이 아니라 사물 자체에 의한 인식을 주장하였다. **다섯째, 아동은 신의 선물**이라고 하여 아동의 인격을 존중하였다. 특히 훈련에 있어 체벌을 반대하였고 아동의 자유스럽고 자연스러운 성장을 촉구하였다. **여섯째, 교직의 중요성과 고귀함**을 강조하였다. 그는 교직과 성직을 동일한 차원에서 이해하였다. 특히, 초등교육에 여교사가 채용되어야 한다고 강조하면서 여교사의 지위 신장에 기여하였다.

3. 과학혁명과 계몽운동 (17~18C.)

가. 실학주의 - 코메니우스

실학주의는 인문주의가 시세로주의로 변질되고, 종교개혁의 정신이 교조적 형식주의에서 벗어나지 못하게 되자, 새로운 교육내용과 방법을 도입하기 위해 생겨났다. 이 시기는 르네상스와 종교개혁이 중세적 세계관을 무너트리고 절대왕정 시대를 열며 초기 근대국가로 전환하는 시기로, 종교적 사고로부터 서서히 탈피하면서 보다 확실하고 신뢰할 수 있는 지식에 도달하기 위해 과학적 사고로 옮겨가는 과도기였다. 진리 발견의 과학적 방법은 교육에 있어서 인간의 능력과 이성 및 경험을 존중하는 실학주의 교육으로 나타나게 되었다. 이러한 실학주의는 인문적 실학주의, 사회적 실학주의, 감각적 실학주의의 세 단계를 거치면서 발전하였다.

인문적 실학주의(humanistic realism)는 고전의 연구를 통해 현실생활에 잘 적응할 수 있는 유능한 사람을 양성함을 목적으로 하고 있다. 고전을 중시한다는 점에서 인문주의와 같다고 할 수 있으나, 고전의 형식보다 내용을 중시하고 실생활에 필요한 내용을 강조한 점에서는 인문주의와 구별되는 실학주의이다. 즉, 인문적 실학주의는 언어주의, 형식주의를 배격하고 내용주의, 현실주의를 추구하면서 그 내용과 현실을 고전에서 찾았던 것이다. 대표적인 인문적 실학주의자로는 라블레(Francis Rabelais, 1483~1553), 밀턴(John Milton, 1608~1674) 등이 있다.

사회적 실학주의(social realism)는 고전을 연구하는 교육보다 사회생활의 경험을 주요 교육내용으로 하여 신사(gentleman)로서의 준비를 시키는 것을 목적으로 하고 있다. 사회적 실학주의는 인문적 교양만으로는 신사 양성에 불충분하므로 실생활과의 접촉을 통해서 유능한 사회인 또는 세계인을 양성하려고 하였다. 이를 위해서 지식교육보다는 가급적이면 풍부한 사회 경험을 하도록 하였다. 대표적인 사회적 실학주의자로는 몽테뉴(Michel de Montaigne, 1533~1592), 로크(John Locke, 1632~1704) 등이 있다.

감각적 실학주의(sensual realism)는 인간의 감각적 직관을 기초로 사물의 본질을 파악하려고 하였다. 즉 인문적 실학주의나 사회적 실학주의에서와 같이 고전의 내용이나 사회생활을 통해서가 아니라, 실물의 표본을 감각적으로 직접 관찰함으로써 학습하는 것이 보다 효과적이며, 사회의 본질에 근접하는 것이라고 보았다. 이러한 감각적 실학주의는 자연과학적 지식과 실생활의 결합을 도모하였으며, 교수의 모든 원리를 자연에서 찾고자 하였다. 대표적인 감각적 실학주의자로는 라트케(Wolfgang Ratke, 1571~1653), 코메니우스(Johann Amos Commenius, 1592~1670) 등이 있다.

실학주의는 이처럼 인문적 실학주의로부터 감각적 실학주의로 발전되는 과정에서 점차 교육에 직접적인 영향을 미치게 되었으며, 일반적으로 감각적 실학주의를 실학주의의 정수로 여긴다. 이러한 감각적 실학주의의 대표적 인물인 코메니우스의 교육사상을 보면 "모든 사람에게 모든 것을 가르친다."는 기본원리를 바탕으로 한다. 인간의 교육은 어느 부분만의 교육이 아니라 삶 전체를 포괄하는 내용으로 구성되어야 하며, 이는 어느 특정 계층의 사람에게만 필요한 것이 아니라 모든 인간에게 필요한 것으로 보았다. 그는 이러한 교육원리와 평등의식에 기초하여 그의 교육학 저서인 「**대교수학(Didactica Magna)**」(1632)에서 루터 이래로 제기되어 오던 초등교육의 대중화와 의무화 사상을 보다 발전시켰다. 그리고 그에게 있어서 학문이란 하나님의 지혜가 천명되어 있는 자연에 관한 학문을 의미하는 것으로, 모든 사물의 교육에 있어서 그 방법은 철저하게 자연에 거스르지 않는 것이어야 한다고 주장하였다. 이러한 이유로 그의 교육관을 감각적 실학주의라는 말로 표현하기도 하고 직관교육이라고 말하기도 한다. 이러한 직관교육은 '언어 이전에 사물'이라는 말로 특정지어 볼 수 있다. 이는 과거 인문주의 교육이 범했던 오류를 시정하고 좀 더 인간의 자연 본성에 맞는 교육방법을 추구했던 것으로써, 문법 이전에 생생하게 말할 수 있도록 가르쳐야 하고, 외국어 이전에 모국어를 완벽하게 습득시키는 것이 자연의 질서에 따르는 교육이라고 보는 관점으로 설명할 수 있다.

나. 계몽주의 - 로크, 몽테스키외, 루소

계몽주의란 모든 인간이 이성을 올바로 사용할 수 있도록 교육하고, 그들이 자율적으로 사고하면서 삶을 형성할 수 있도록 도와 주는 모든 노력을 기울이고자 하는 사조를 의미한다. 인간의 이성을 깨우치는 일을 지상의 과제로 생각했던 계몽주의 시대 교육은 인간의 지성을 해방시키고 지성적 자율을 확립함으로써 궁극적으로는 모든 속박으로부터 이성을 해방시켜 인간의 참다운 진보와 해방을 추구하고자 하였다.

계몽주의의 교육목적은 이성의 자유를 속박하는 종교, 정치, 사회 등의 모든 권력구조를 제거할 수 있게 하는데 있었다. 즉 사람들이 스스로 생각하고 모든 인간적 또는 신학적 문제와 사물을 자신의 이성의 힘으로 따질 수 있게 하는데 목적을 두었다.

계몽주의 교육은 세 가지 특징을 지니고 있다. **첫째, 인간을 자연 그대로** 보는 것을 본질로 한다. 자연의 빛에 비추어 볼 때 모든 인간은 본래 자유롭고 평등한 존재이며, 종교인, 귀족 등이 특권을 행사하는 사회는 인간의 자연적 권리를 무시한 것이므로 자연의 질서에 위배된다. 자연법을 중심으로 나타난 정치적 자연주의는 당시 절대주의 체제에 대하여 예리한 비판을 가하였다. 대표적인 인물로는 로크(John. Locke, 1632~1704), 몽테스키외(Charles De Montesquieu, 1689~1755), 루소(Jean Jacques Rousseau, 1712~1778) 등으로 18세기 절대왕정 체제에서 억압받고 있던 많은 사람들로부터 환영을 받고 미국의 독립전쟁(1775~1783)과 프랑스의 시민혁명(1789~1794) 등에 사상적 기초를 제공하였다. **둘째, 인간의 이성과 지성을 존중**하는 것이다. 계몽의 유일한 수단이라고 생각했던 이성은 계몽주의자들에게 신과 같은 존재로서 생활의 모든 문제를 이성의 힘으로 해결하려 하였다. 대표적인 인물로는 디드로(D. Diderot, 1713~1784), 볼테르(Voltaire, 1694~1778) 등으로 종교에서의 기적이나 예언과 같은 신비적 요소를 부정하고 이성적 진리만을 믿었다. **셋째, 실리적 현세주의다.** 이는 과거 중세의 내세주의에 대립되는 것으로, 현실세계에서의 구체적 행복을 실현하기 위한 노력이 자연과학적 발명과 생활 속에서의 모국어 존중으로 나타났다. 대표적인 인물로 증기기관을 발명한 와트(James Watt, 1736~1819), 방적기계를 발명한 아크라이트(Richard Arkwright, 1732~1792) 등으로 현실생활 속에서 삶의 편리함과 윤택함을 추구하였다.

계몽주의의 대표적 인물인 루소의 교육사상은 그의 저서 「에밀」(1762)에 잘 나타나 있다. 에밀에 나타난 아동중심 교육관은 단순히 아동을 위한 교육의 차원을 넘어서서 당시의 지배적인 문화와 관습을 타파하고자 한 문화비판이라고 볼 수 있다. 에밀은 전체 5부로 구성되어 있다. 유아기에서 청년기까지의 성장과정과 여성교육론을 다섯 단계로 구분하여 각 단계의 발달과정과 이에 적합한 교육을 논하였다.

제1부에서는 유아기(0~2세)의 교육과 함께 교육의 기본원리를 다루고 있다. 그에 의하면 유아기의 교육은 신체의 발육에 중점을 두는 건강교육이어야 하며, 인위적인 교육보다는 직접적으로 생활을 경험함으로써 주어진 자연조건에 적응할 수 있는 능력을 길러주어야 한다. 이 시기의 교육을 루소는 다음과 같이 요약하고 있다. 첫째, 이 시기의 아이들에게는 그들이 가지고 있는 능력을 사용할 수 있도록 해주어야 한다. 둘째, 아이들의 작은 능력들을 돌보아 주어야 한다. 셋째, 아이들에게 도움을 주는 경우 실질적으로 필요한 경우에 한하여야 하며 즉흥적이거나 비이성적인 요구에 따라서는 안된다. 넷째, 아직 말을 할 수 없는 아이들의 표현을 정확히 파악할 수 있도록 노력해야 한다.

제2부에서는 아동기(2~12세)를 다루고 있다. 여기에서는 특히 손발의 단련과 감각기관의 훈련에 대하여 논하고 있다. 사람은 감각을 통해서 사물을 이해할 수 있으며, 감각은 인간의 최초의 이성이며 지적 이성의 기초가 되므로, 생각하는 것을 배우기 위해 우리의 손, 발, 감각기관을 훈련해야 함을 강조한다. 따라서 12세까지는 '이성의 수면기'로 지적인 것을 강조해 보아야 아이들은 이를 이해할 수 없으며 건전한 감각을 지니고 있으면 12세 이후 이성이 개화될 것이라 하였다. 이렇게 미래를 위한 준비로서의 지식교육을 비판하고, 어린이는 어른이 되는 준비 단계에 있는 것이 아니라 어린이로서 완성적이고 독립적인 존재로 여겨야 함을 역설하였다.

제3부에서는 소년기(12~15세)를 다루고 있다. 루소는 이 시기를 이성의 시기로 본다. 이 때부터 아이들은 이성에 눈을 뜨고 지적 호기심이 왕성해지기 시작하기 때문에 비로소 지식교육이 가능하게 된다. 이 시기에는 여러 가지 잡다한 학문의 지식을 가르치는 일보다는 학문에 대한 취미를 길러주고 학문을 사랑하는 마음을 우선적으로 길러주어야 한다. 즉 많은 학문의 지식을 가르쳐 주기보다는 지적 의욕을 고취시켜 주는 방법을 가르치는 일이 우선되어야 한다는 것이다. 모든 것을 스스로 생각하고 추리하는 직관교육, 어린이 자신이 기구를 직접 만들고 경험하는 경험학습 등의 방법을 통해 아이들은 좀 더 분명하고 정확한 사물의 개념을 획득하게 된다.

제4부는 청년기(15~20세)를 다루고 있다. 이 시기는 이성에 대해 눈을 뜨고 감정과 성에 대하여 관심을 갖는 시기로서 사춘기에 해당한다. 어린 시기를 벗어나 성인으로서의 남성과 여성의 역할을 익히고, 이기적 삶의 태도를 넘어서서 인간의 사회적 관계에 관심을 갖고

새로운 인생을 시작하는 제2의 탄생을 경험하는 중요한 시기이다. 이 시기의 교육은 도덕적, 종교적, 사회적 관계 형성의 기초를 마련해 줌으로써 진정한 애타적 삶의 모습을 형성해 주어야 한다. 이 시기의 본성인 자기애는 이웃에 대한 동정, 우정을 바탕으로 한 인간애, 인류애로 발전된다. 따라서 인간을 인간 그 자체로 존중하고 사랑하는 법을 가르쳐 주고 불행한 사람을 도와주어야 한다는 것을 알게 해 해주는 것이 이 시기의 중요한 교육내용이다.

제5부에서는 **여성교육론**에 대해 서술하고 있다. 루소의 아동교육이 상당히 진보적이고 헌신적인데 비해, 여성교육관은 지나치게 보수적이라는 이류로 많은 비판을 받았다. 여성은 순종과 겸양의 미덕을 갖추고, 남편을 즐겁게 해주고 노인들을 위로해 주어야 한다는 동양적 현모양처의 모습을 강조하고 있다. 루소의 여성교육은 지적으로나 정서적으로나 여성에게 적합한 범위를 넘지 않아야 하고, 신체적 훈련도 여자로서의 육체적 매력이나 건강한 아이를 낳기 위한 것으로 국한하였다. 이러한 구별은 자연의 법칙에서 생겨났으며, 남녀는 인간이라는 점에서는 같지만, 남녀의 교육은 동일할 수 없다는 것이 그의 주장이다.

루소의 교육사상은 자연주의 교육으로 대표된다. 루소의 자연주의 교육사상은 교육의 목적, 내용, 방법을 모두 자연의 원리에서 찾아냈으며, 자연에 따르는 교육이 인간을 가장 자유롭고, 행복하고, 덕스럽게 만든다고 보았다. 즉 사회적 제약으로부터 벗어나 자기목적적 삶을 살아가는 자연인의 육성을 교육목표로 삼고, 이를 위하여 인간에 의해 인위적으로 형성된 지식체계가 아니라 아동의 천성에서 나오는 흥미와 생활의 필요에 의해 자연스럽게 일어나는 활동을 중심으로 교육내용이 구성되어야 한다고 보았다. 교육방법도 감각적 실학주의의 영향을 받아 실물교육과 직관교육의 방법을 강조하였으며, 모든 것이 자연의 법칙에 따르는 것이어야 한다고 했다. 자연에 따르는 교육방법이란 아동의 지적, 정서적, 신체적 발달단계의 특징에 따라 그에 합당한 교육이 이루어져야지, 성급하게 많은 지식을 가르치려 해서는 안된다는 것이다. 이와 같이 아동 개개인의 개성을 존중하고 아동의 생활과 활동을 중심으로 교육함으로써 아동을 성인으로부터 해방시키고자 하였다.

루소의 교육사상은 소극교육론으로도 특징지어 진다. 적극적 교육의 형태가 학생들에게 인위적이고 관례적인 사회의 관습과 관념을 주입하는 것이라면, 소극적 교육은 학생들에게 직접적인 간섭을 피하고 학생 스스로 판단할 수 있는 교육적 환경을 마련해 주자는 것이다. 즉, 진리를 인위적으로 주입하려 가르치려 하지 말고, 진리를 스스로 깨달을 수 있는 교육적 환경을 마련해 주어야 한다. 따라서 교사가 해야 할 일은 어린이를 강제로 이끄는 행위가 아니라, 어린이가 스스로 하고 싶은 일을 할 수 있도록 도와주는 소극적 교육이어야 한다는 것이 루소의 주장이다. 이는 단순히 방임적인 교육의 형태가 아니라, 지시 일변도의 교육을 배척하고 명령, 교훈 등의 직접적인 간섭을 배제함으로써 아동의 자유를 보장하고 궁극적으로는 어린이의 자유의지를 자극하여 자립능력을 함양시키는 것을 의미한다. 그러한 의미에서 루소의 소극적 교육은 인간의 자율성을 신장시키는 측면에서는 가장 적극적 형태의 교육이라 할 수 있다.

루소의 교육관은 자연주의적이고 합리적인 교육의 방법으로 교육하는데 결정적인 역할을 하였으며, 그의 직관교육은 페스탈로치(Johann Heinrich Pestalozzi, 1746~1827)와 프뢰벨(Friedrich Wilhelm August Fröbel, 1782~1852)에게 영향을 미쳤으며, 생활중심, 아동중심 교육관은 케이(Ellen Key, 1849~1926), 듀이(John Dewey, 1859~1952) 등에 영향을 미쳐 오늘에 이르고 있다.

4. 근현대 (18C말~19C초)

가. 신인문주의

유럽의 근현대 역사는 정치, 경제, 사회, 문화 등 모든 면에서 급격한 변화의 시기였다. 정치적으로는 계몽주의를 바탕으로 미국의 독립전쟁(1775~1783)과 프랑스의 시민혁명(1789~1794)을 기점으로 민주적 정치제도가 실현되었으며, 경제적으로는 1차 산업혁명을 계기로 자본주의적 경제체제가 발달하였고, 사회적으로는 시민사회가 형성되었으며, 문화적으로는 낭만주의가 대두하였다.

신인문주의는 16세기 인문주의가 시세로주의로 변질되었던 것을 지적하고, 17세기 실학주의의 공리성을 비판하는 동시에, 18세기 계몽사상의 이성 중심에 대항하는 운동으로 생겨나게 되었다. 특히 신인문주의는 지나치게 이성을 중심으로 한 계몽사상의 모순에 반기를 들고 인간의 조화로운 발달을 바라는 사람들이 인간의 정서와 감정을 바탕으로 한 운동이었다.

신인문주의의 특징을 살펴보면, 첫째, 과거 르네상스와 종교개혁 시기의 인문주의가 그리스 문화를 계승한 로마문화를 재생하였다면, 신인문주의는 그리스의 문학과 사상, 인간관, 세계관을 부활시켰다. 그리스 문화의 순수성을 부활시키려고 했던 점이 신인문주의의 특징이다. 둘째, 신인문주의의 착안점은 고전의 형식이 아닌 정신과 내용이다. 구인문주의에서는 고전에 담겨진 정신과 내용보다는 로마의 문장, 생활양식 등을 단순히 모방하는데 그쳤으나, 신인문주의에서는 고전 속에 담겨진 그들의 세계관, 인생관 그 자체를 중시함으로써 실질적인 생활에 도움을 주었다. 셋째, 신인문주의는 고전문화에 대한 자각적 태도를 지니고 있었다. 고전을 위한 맹목적인 부흥이 아니라, 자신과 당시의 국민문화를 위해 유용한 고전을 부흥하고자 하였다. 즉 그리스의 고전문화 속에서 자기의 본질을 인식하고 참된 자기를 파악하고자 하였다.

신인문주의의 대표적인 인물로는 인류의 교사로 칭송되는 페스탈로치(Johann Heinrich Pestalozzi, 1746~1827), 교육학의 학문적 체계를 세운 헤르바르트(Johann Friedrich Herbart, 1776~1841), 유치원의 창시자 프뢰벨(Friedrich Wilhelm August Fröbel, 1782~1852) 등을 들 수 있다. 그들의 교육관을 통해 신인문주의 시대 교육을 살펴보면 다음과 같다.

1) 페스탈로치 - 인류의 교사

페스탈로치의 교육관은 그의 저서들을 통해 살펴볼 수 있다.

「은자의 황혼」(1780)의 서두에서 "인간은 옥좌 위에 앉아 있으나, 초가의 그늘 아래 누워 있으나 평등하고."라고 밝히고, "모든 어린이에게는 하느님이 주신 성스러운 인간성의 힘이 깃들어 있다."고 하였다. 이는 인간 본성의 선성, 발전 가능성, 평등성을 대전제로 하고 있다. 그는 이러한 평등적 인간관에 기반해서 모든 인간의 도덕성을 일깨울 수 있다고 보고 이를 전쟁 보육원 슈탄츠에서 실증해 보였다.

「탐구」(1797)에서는 인간의 도덕성을 사회 질서의 준수와 같은 관습적이고 강제적인 것이 아니라, 내면적, 개성적, 자율적인 것이라 하였다. 그는 인간성 안에 자연적(동물적), 사회적,

도덕적 상태의 세 단면을 설정하고 인간교육의 목표로 도덕적 상태의 인간을 제시하고 있다. **자연적 상태**의 인간은 동물과 근본적으로 다르지 않다. 동물적인 충동과 선한 충동을 함께 가지고 있어 이 두 가지 본능의 작용이 자연질서에 따르는 관계에 있을 때 선(善)이 된다. 그러나 인간에게 자연적 상태는 극히 짧은 순간에 불과하며 곧바로 인간은 이기심에 사로잡혀 자연질서를 파괴하고 타락하게 된다고 하였다. **사회적 상태**는 이기심으로 자극된 폭력적 행위를 법으로 규제하는 상태를 말한다. 자연적 욕구의 충족에서 오는 무질서를 방지하기 위해 법을 만들어 이를 강제로 준수하게 하는 상태를 말한다. 사회적 정의는 도덕적 정의와는 완전히 무관한 것이며, 동물적 정의(자연적 존재의 본능적 욕구충족 상태)의 변형에 지나지 않는다고 하였다. **도덕적 상태**의 본질은 본능적 충동의 지배를 받는 것도 아니며, 사회의 타율적 규범과 관습 또는 계약에 의해 형성되는 것도 아니며, 철저하게 자기 자신의 내면적 힘에 의해 지배받는 고유한 존재라는 것이다.

페스탈로치의 교육은 우선 인간의 본능적 욕구, 생리적 욕구의 충족, 의식주 문제의 해결, 흥미와 호기심의 충족 등을 이루도록 해야 한다. 다음으로 사회적 계약을 잘 지킬 수 있도록 언어와 행동양식을 익히고 가치관과 문화유산을 습득하고 계승하는 일을 해야 한다. 마지막으로는 각자의 개성적 결단에 의해 자신의 인격을 완성적으로 도약하고 새로운 가치와 규범을 모색함으로써 도덕적 상태의 인간이 되도록 하는 것이다.

페스탈로치의 교육방법은 감각과 정신을 함께 내포하는 순박한 인간 본성을 발전시키는 것이 자연에 일치하는 교육이라는 합자연교육으로 특징지어진다. 이러한 방법적 원리는 다음과 같다. **첫째, 가정교육의 원리로**, 믿음과 사랑을 바탕으로 하는 가정교육의 중요성을 강조하였다. 가정에서는 기본적인 언어와 행동양식과 가치규범을 배우며 가족 공동체 생활을 통해서 이웃에 대한 사랑과 신에 대한 사랑을 배운다. **둘째, 인간교육**이 직업교육에 우선해야 한다는 원리이다. 인간교육이란 선천적으로 지니고 있는 지덕체의 세 힘을 조화롭게 발전시키는 일이다. 따라서 학교는 읽기, 쓰기, 셈하기 등의 기능적 교육보다 먼저 인간됨을 배우는 곳이어야 한다는 것이다. **셋째, 자기계발의 원리이다.** 교육이란 가치, 규범, 행동양식, 지식, 기능 등을 밖에서 안으로 주입하는 것이 아니고, 안에 있는 내면적 힘을 스스로 계발, 발전시켜 스스로가 이러한 것을 찾으며 익히게 하는 것이다. **넷째, 도덕교육 중시**의 원리이다. 그는 지덕체의 조화로운 교육을 기본으로 생각하였으며, 그 중에서도 도덕성을 함양하는 것이 인간교육의 가장 핵심이라고 보았다. 다섯째, 직관의 원리이다. 직관은 외적 직관과 내적 직관으로 구분되며, 외적 직관은 우리들의 감각기관을 통해 외부의 인상을 받아들이는 것이고, 내적 직관은 자신의 마음의 눈으로 세계의 본질을 체험하는 것을 말한다. 여섯째, 기초도야의 원리이다. 기초과목인 산수, 도형기하학, 국어의 경우는 가정교육에서부터 철저하게 다져야 한다는 것이다.

2) 헤르바르트 - 교육학 체계 수립

헤르바르트가 말하는 교육의 목적은 "견고한 도덕적 품성의 도야"이다. 즉 진실하고 신뢰성 있는 도덕적 성격이 인간의 최고의 목적이며 교육의 궁극적 목적이라는 것이다. 이러한 헤르바르트의 교육목적론은 도덕적 인간의 형성을 교육의 최고 목표로 삼았다. 헤르바르트의 도덕적 품성은 다음 다섯 가지 기본이념이 서로 결합되어 실현되는 성질이라고 봄으로써 실천적 도덕 이념을 제시하였다. **첫째, 내면적 자유**는 칸트의 실천이성(의지)이 자율적 자유인 것과 마찬가지로 자신의 통찰에 의해 최선이라고 판단되는 것을 내면적 의지에 의해 실천으로 옮기는 사람이 내면적으로 자유로운 사람이며, 이러한 사람들이 모여서 형성한 사회는 생기가 넘치고 생동하는 사회가 된다. **둘째, 완전성**은 건전한 정신과 신체가 조화를 이룸으로써 완전성을 추구한다는 것이다. 즉, 한 사회의 문화체계를 형성하기 위해서는 강인한 정신과 실천의지가 요구된다는 것이다. **셋째, 호의**는 자신의 의지로 남을 돕는 것이다. 이러한 호의의 이념을 존중하는 사람들로 모인 사회는 복지사회가 된다. 특히 한 사회의 모든 행정체계는 이와 같은 호의의 이념에 기초하여야 한다. **넷째, 정의**는 서로 양보하고 상호 의견을 존중함으로써 상이한 두 의지의 충돌을 피하고자 하는 이념을 뜻한다. 이러한 정의의 이념이 구현된 사회는 바로 법치사회라 할 수 있다. **다섯째, 공정**은 일정한 의지에 따른 행동에 대하여 언제나 정당한 대가를 치르는 것을 말한다. 정의의 이념이 비교적 소극적인데 비해, 공정의 이념은 좀 더 적극적인 의미를 내포하고 있다. 이렇게 헤르바르트는 다섯 가지 기본이념이 서로 결합하여 실현되는 성질이 도덕적 품성이라고 보았으며 이를 육성하는 것이 교육의 목적이라고 하였다.

헤르바르트는 세 가지 교육방법을 제시하고 있다. **첫째, 관리**는 어린이의 자연적이고 맹목적인 충동과 난폭한 행동을 통제하여 일정한 질서를 유지하는 교육방법이다. 이러한 관리의 구체적인 방법으로는 위협, 감시, 권위, 사랑 등을 들 수 있다. **둘째, 수업**은 단순히 지식과 정보를 제공하는 과정이 아니라 인간의 강한 도덕적 품성 도야를 목적으로 한다. 이러한 수업을 위해 학생들의 흥미를 자극하기 위해 경험과 인식으로부터 나타나는 흥미(경험적, 사변적, 심미적)와 참여와 사교로부터 나타나는 흥미(동정적, 사회적, 종교적)를 제시하였다. 또한 이러한 흥미 발생의 조건과 과정으로써 집중(명확, 연상)과 연관(체계, 방법)을 들어 수업의 형식단계설을 정리하였다. **셋째, 훈육**은 관리, 수업 다음에 오는 교육방법으로써 도덕성의 도야를 목적으로 하는 교육의 마지막 단계이다. 관리는 교육받을 수 있는 조선을 마련해주는 교육 이전의 단계이고, 수업은 교재라는 매개체를 통해 교육적 수업을 함으로써 도덕적 품성을 도야하지만, 훈육은 매개체가 없이 아동에게 직접적으로 작용하여 아동의 심정에 영향을 줌으로써 도덕적 품성을 도야하는 방법이다. 이러한 훈육의 방법으로는 명령, 상벌, 교훈, 모범 등을 들 수 있으며 이중에서 교사의 모범을 가장 중시한다.

3) 프뢰벨 - 유아교육 집대성

프뢰벨은 유치원의 창시자이며, 인간주의적 교육관에 기초해 유아교육 사상을 집대성하였다. 그는 당시 독일의 이상주의 철학, 낭만주의 철학, 그리고 루소, 페스탈로치 등에게서 많은 영향을 받았으며, 그것을 바탕으로 자신의 독자적인 교육체계를 정립하였다. 그는 교육사상의 기본원리로 통일의 원리, 자기활동의 원리, 노작의 원리, 놀이의 원리를 제시하였다.

첫째, 통일의 원리는 우주의 모든 바탕에는 하나의 통일, 즉 신이 깃들어 있다는 것이다. 즉, 만물은 신으로부터 생겨난 것이며, 신은 만물의 유일한 근원으로써 만물 속에 존재하고 만물을 지배한다고 보았다. 이는 프뢰벨의 세계관이 신적인 통일에 기초를 두고 있음을 말해 주고 있다. 프뢰벨은 만물의 본질을 신성으로 보고, 만물의 사명은 단지 그의 본질인 자기 내부의 신성을 외부에 표현하는 것이라고 하였다. 따라서 교육의 목적도 이 본질을 절대자와의 통일에까지 발전시키는 일이라고 하였다. 프뢰벨은 인간을 만물 중의 최고 존재로 보았으며, 다른 어떤 만물보다 신적인 것을 많이 갖고 있다고 하였다. 인간은 지적이고 이성적으로 만물을 인식하기 때문에 만물과는 다른 특별한 사명이 있다는 것이다. 따라서 교육이란 의식하고 사고하는 존재인 인간을 자극하고 지도하여 그것에 의해 인간으로 하여금 자신이 가지고 있는 내적인 법칙, 다시 말해 신적인 것을 의식하게 하여 스스로의 결단에 의해 밖으로 순수하고 완전하게 표현할 수 있는 방법과 수단을 제공해 주는 일이라고 하였다.

둘째, 자기활동의 원리는 신이 조물주라는 입장에서 신성의 본질은 활동이며 창조이며 노동이므로, 신성을 본성으로 하는 인간은 태어나면서부터 활동하고 표현하고 창조하는 행동을 하게 된다는 점에서 자기활동의 원리를 지닌다는 것이다. 따라서 어린이의 활동은 모두 창조적인 것으로 볼 수 있으며, 어린이의 자기활동을 도와주는 것이 교육의 과제로 보았다. 그는 유아가 감각적 기능의 발달과 함께 손발을 움직일 수 있게 되는 것이 최초의 신체적 활동이며 창조적 충동의 싹으로 보았다. 여기에서 놀이가 시작되고, 물건을 움직이며 형체를 조립하는 자기활동이 이루어진다는 것이다. 즉 외부에 도전하는 자기활동의 결과로 변화하는 사상에 더욱 흥미를 느끼게 되고 점차 실생활에까지 확대되어 영속적으로 발전하는 것이라고 하였다.

셋째, 노작의 원리는, 인간이 노동이라는 행위를 하면서 자신의 내적 본질을 구체적으로 표현하게 되며, 인간의 사명을 신성의 표현으로 보았기 때문에, 프뢰벨에게 있어 노작의 원리는 인간 생명의 원리이며 생명의 발전을 위한 교육원리라는 것이다. 즉, 생명 발전의 과정이 노작이기 때문에 노작교육이 곧 인간교육이라는 것이다. 이처럼 프뢰벨은 노작의 중요성을 강조하며, 근로정신이나 생산활동은 어릴 때부터 교육되어야 한다고 하였다. 그리고 어린이의 놀이를 최초의 생산활동으로 간주하였다.

넷째, 놀이의 원리는 교육목적을 달성하기 위해 교재인 은물(恩物, Gabe)을 이용한 원리를 말한다. 이 은물은 단순한 놀이기구가 아니라 그 속에 철학적 의미가 내포된 것으로써 일종의 교육용 장난감인 것이다. 어린이는 대자연과 우주의 복잡하고 어려운 진리를 파악할 수 없으므로 그들에게 알맞은 물건을 제공할 필요가 있는데, 이렇게 하여 고안된 것이 바로 은물이다. 그는 놀이 그 자체가 교육이라고 보았으며, 어린이의 창조적인 자기활동을 중시하였다. 그러한 놀이의 교육적 가치를 실현하고자 고안한 은물은 20종으로 구성되어 있으며 각각의 은물들은 차례로 발달되었고 기본적인 법칙을 설명하도록 고안되었다. 작업은 주로 점토, 나무, 두꺼운 종이를 가지고 무엇을 만들거나 접기, 오리기 등을 통해 평면과 선, 각을 경험하도록 하였다.

5. 현대 (19C중~현재)

가. 프래그머티즘

프래그머티즘이 등장하게 된 배경은 르네상스 이래 끊임없이 추구되어온 인문주의 사상이다. 다만, 그 현상에 있어서 17~18세기에는 인간의 이성이 강조되었으며, 19세기에는 인간의 감성이 강조되며 인간적 삶의 조화로운 발달을 추구하였던 것이다. 20세기에 들어서면서는 과학기술의 급속한 발전과 비인간화 현상이 사회의 커다란 문제로 대두되면서 이를 극복하기 위한 교육적 노력이 보다 인간 중심적 교육활동으로 전개되었다. 루소의 「에밀」(1762)이 발표된 이래 급속히 발전되어온 아동중심 교육사상은 20세기 들어서면서 그 꽃을 피웠다고 볼 수 있다. 독일을 중심으로 한 전원기숙사학교와 노작교육의 이념들은 모두 아동의 입장에서 교육의 방향을 제시하고 있다.

프래그머티즘에서 진리란 인간의 경험으로부터 나오는 시험적인 것, 또는 가설적인 것을 말한다. 프래그머티즘에서는 과학적인 방법으로 인간의 행동 결과를 검증하는 데에 관심을 기울인다.

프래그머티즘에서는 지금까지의 철학사조와는 달리 궁극적인 실체에 대한 형이상학적 사색을 거부한다. 프래그머티즘에서의 인간의 문제는 초경험적인 것이라기 보다는 오히려 인간의 목적에 따라서 제기되는 문제를 다루고 통제하는, 경험 세계 속의 변화하고 진보하는 우주를 강조한다. 즉, 인간의 환경 조건을 개선하고 재구성하는 데에 경험을 유용하게 활용해야 한다는 점을 강조한다. 경험을 재구성하는 데에 있어서 이론과 실제는 혼합되어 활용된다. 경험에서 유추된 이론은 행동을 통하여 검증된다. 불변하는 것과 변화하는 것을 구별하는 이원론을 반대하는 대신에 개인과 집단이 문제의 상황에서 성공적으로 결말을 얻어 내기 위해 기울이는 지속된 노력들이 지식이 된다고 하여 경험을 중시한다. 이러한 결과로, 이론은 실제에서 나오며, 또 실제에서 검증된다. 마음은 선험적인 범주라기 보다는 지적으로 문제를 해결하는 사회적 과정이고, 교육은 사회적, 직업적 문제를 포함한 모든 문제를 다루기 위한 방법을 제공함으로써 인간을 보다 자유스럽게 하는 것이다. 순수예술과 실용적인 예술을 구분짓는 일은 예술과 기능을 통합함으로써 해소하려고 한다. 듀이에 의하면 존재하는 것은 변화하는 세계에 있다는 것을 의미하며, 인간이 하고 있는 탐구활동은 확실성에 대한 탐구라기 보다는 불완전한 세계에서 이루어지는 변화과정 그 자체를 관리하고 지시하는 방법과 수단에 대한 탐구이다.

프래그머티즘 교육의 기본전제는 다음과 같다. 첫째, 학습자는 생명을 유지하기 위한 본능과 충동을 지닌 생물학적, 사회적 유기체이다. 둘째, 학습자는 자연적이며 사회적인 주거지나 환경 속에서 살고 있다. 셋째, 학습자는 개인적인 본능적 충동에 의해서 움직이며 환경과 끊임없는 상호작용을 하는 적극적인 존재이다. 넷째, 환경과의 상호작용을 통하여 개인은 그의 욕구를 충족시키려고 하고 그로 인하여 문제의 상황을 부딪치게 된다. 다섯째, 그 환경으로부터 발생되는 문제를 해결하는 과정 전반이 곧 학습이다.

대표적 인물로는 듀이(John Dewey, 1859~1952), 몬테소리(Maria Montessori, 1870~1952), 니일(Alexander Sutherland Neill, 1883~1973), 슈타이너(Rudolf Steiner, 1861~1925) 등이 있다. 그들의 교육사상을 통해 프래그머티즘에서의 아동중심 교육을 살펴보면 다음과 같다.

1) 듀이 - 경험의 재구성

듀이는 「나의 교육 신조」(1897)에서 "아동이 현재 살고 있는 사회적 상황의 요구에 의해 아동의 능력을 자극함으로써 진정한 교육이 이루어진다."라고 함으로써 아동중심 교육사상의 코페르니쿠스적 전환을 이루었다. 듀이는 아동의 활동을 모든 교육의 출발점으로 삼고 아동의 원만한 교육활동을 위해 아동의 능력과 흥미, 습관 등을 파악하기 위한 교사의 심리적 통찰이 필요하다고 보았다. 즉 아동의 능력, 흥미, 습관 등을 부단히 분석하여 그들이 무엇을 원하고 있는가를 파악하고 이를 토대로 교육계획이 수립되고 교육활동이 전개되어야 한다고 봄으로써 아동중심 교육사상을 정립하였다.

듀이는 아동의 성장을 위한 교육목표 설정의 기준으로, 첫째, 아동 개개인의 모든 내적 활동과 요구에 기초해야 한다, 둘째, 아동들이 수행하는 모든 활동은 아동의 성장과 발달에 적합하도록 설정되어야 한다, 셋째, 교육의 일반 목적 및 궁극적 목표가 차이가 없도록 해야 한다고 하였다.

듀이에게 있어 교육의 목적은 성장과 경험의 재구성이다. 성장과 경험의 재구성은 후속되는 경험에 새로운 방향을 제시하며 통제한다. 듀이가 말하는 성장은 개인의 여러 경험들 간에 의미있는 맥락, 또는 여러 학습 장면들 간의 상호관계성을 이해하는 능력을 획득하는 것을 포함한다. 경험의 재구성은 생활 속 문제해결 과정 속에 이뤄지는 경험의 상호작용인 동시에 지식 일반화의 반복인 것이다.

듀이의 교육관은 다음과 같이 요약할 수 있다. 첫째, 교육은 생활이다. 미래의 삶을 위한 준비가 아니라 현재적 삶의 과정 그 자체이다. 둘째, 교육은 성장이다. 인간은 태어나서부터 발전하고 성장하는 존재이므로, 아동의 육체적, 정신적, 심리적 성장 과정이 곧 교육인 것이다. 셋째, 교육은 경험의 계속적인 재구성이다. 아동은 자연, 사회, 인간과 더불어 많은 것들을 경험하는데, 경험의 재구성은 경험의 성장, 생활의 성장을 의미하며 그것은 아동과 환경의 상호작용인 동시에 교육이라는 것이다.

듀이에게 진리란 상황적인 적합성이나 적절성에 의하여 증명된다고 보았다. 적합성이란 그 시대와 상황에서 대다수의 사람에게 최대로 옳다고 생각되는 것이 진리이다. 그러므로 실용성이란 단어보다 적합성이나 적절성이라는 단어가 프래그머티즘의 진리를 더 잘 설명하여 주는 단어가 된다. 또한 듀이에게 있어 지식이란 사람들의 상식적인 관심을 다루어 공동으로 서로의 경험을 함께하면서 만들어지는 것이다. 문제를 해결할 수 있고 분석할 수 있는 능력인 지성은 문제의 상황에 부딪혀서 문제를 해결하는 과정을 통하여 끊임없이 얻어지는 경험에서 비롯된다. 지성은 문제 해결의 맥락에서 가설에 따라 방법을 만들고, 이를 적용하여 실행하는 과정 속에서 얻어지는 것이다.

듀이에게 문제해결 학습은 개인화되고 인격화된 하나의 사회화 과정이다. 집단적 경험은 참여자가 그들의 경험을 함께 공유하는 협동적인 활동이다. 함께 나누는 일이 많을수록 성장의 가능성은 그만큼 더 커지는 것이다. 이에 학교는 산업화되고 도시화된 사회에서 더 많은 사회적, 교육적 문제와 문제해결 경험의 기회를 공유하고 함께 해결하는 활동을 장려하는 협동적이고 민주적인 사회를 준비하는 과정이 되어야 한다고 하였다.

2) 몬테소리 - 의료인 교육자

몬테소리는 의학을 전공한 정신과 의사였다. 이탈리아 역사상 최초의 여의사임과 동시에 여자 박사였다. 또한 교육이론가이며 실천가인 그는 아동을 존중하고 아동의 노작을 중시하는 사상에 근원을 두고 새로운 아동을 발견하려는 것으로부터 출발한다. 즉, 아동은 무한한 잠재

능력이 있는 존재로 보았으며, 아동 스스로 자신의 잠재능력을 전개해 나간다고 보았다. 아동은 선천적으로 특유의 정신적 본성을 지니고 태어나며, 성인에 의해 배우기보다는 아동 자신이 스스로 환경과 접하면서 경험을 통해 배운다고 보았다. 그러므로 아동은 성인의 축소형이 아니며 개별적인 독립된 인격으로 인식하여야 한다고 강조하였다. 따라서 교육은 아동중심으로 자연스러운 분위기에서 아동에 대한 관찰에 기초하며, 이러한 환경을 창조하여 나가는 것이 아동교육의 역할이라고 보았다.

몬테소리의 교육목적은 아동이 전인적인 성장을 하도록 도와주고, 자신의 주변환경에 적응할 수 있게 하며, 인간적인 관계에서 사회적 요구를 받아들이고, 정상화(normalization)되도록 하는데 있다. 정상화는 아동이 작업에 진정한 흥미를 가지고 만족감을 느낌으로써 자신의 내적 훈련과 자신감을 발달시키고 목적지향적인 작업을 선택하게 되는 과정을 의미한다.

몬테소리는 어린이의 자발적 활동인 자기활동을 중시하였다. 아동의 민감기(sensitive period)에 최적의 활동을 유발하게 하는 활동기준은 관찰을 통해서 파악해야 한다고 지적하였다. 다양한 환경적 자극 중에서 무엇인가를 선택하고 자기를 잊고 열중하는 놀이나 작업이 어린이의 민감기에 최적의 활동이 될 수 있다는 것이다. 그러한 측면에서 아동의 노작을 통하여 인성을 형성하고 자신을 완성시킬 수 있다고 하였다. 아동은 자연스럽게 작업할 수 있는 내적 동기가 이루어졌을 때 스스로 작업에 매력을 느끼고 즐기며 자신을 전환시킨다. 이러한 작업을 통해 아동은 시민정신의 근본을 배우게 되며, 이 특성은 삶을 더욱 안락하고 편하게 만들 수 있는 환경을 창의적으로 이끌어가는 다방면의 능력을 성장시킨다는 것이다.

몬테소리가 규정한 교사의 역할은 첫째, 환경의 유지와 관리를 위한 관리자여야 한다. 치밀한 질서, 정결한 교구와 매력적인 환경을 유지시켜야 한다. 둘째, 동기유발의 기능을 발휘하여야 한다. 잘 정비된 환경 속에서 아동들이 자기활동을 전개할 수 있도록 인도하고 자극을 주는 역할을 해야 한다. 셋째, 방임자가 되는 역할을 해야 한다. 아동이 일단 작업에 집중하게 되면 어떠한 경우라도 방해하지 말아야 한다. 칭찬, 주의, 조력 등이 모두 방해가 되기 때문에 교사는 가만히 있으면 되며 아동에 대한 사랑으로 인내해야 한다.

3) 니일 - 서머힐 학교

니일은 철저하게 어린이의 자유에 입각한 교육을 통해 평화롭고 민주적인 이상세계의 건설을 주창하였다. 니일은 1924년 자신의 실험학교를 설립하였고, 그곳이 바로 "아이들을 학교에 맞추는 대신 학교를 아이들에게 맞추는" 기본정신을 지닌 **서머힐 학교(Summerhill School)**이다.

서머힐 학교는 노는 것도 공부하는 것도 어린이들의 자유에 맡겼다. 도덕적인 틀을 강요하는 일이 없는 교육을 통해 도덕적인 용기와 행복을 갖추어 주고, 어린이 스스로에 의한 자치 능력을 길러 주었으며, 제도적 틀 속에 맞추어지거나 선동에 동요되지 않는 균형잡힌 인간을 육성하고자 하였다. 자유와 창조적 활동을 중시하는 학교로서 자유가 기본방침이기는 하지만 무제한적이고 무조건적인 것은 아니다. 학생과 교직원으로 구성된 학교총회에서 자치적으로 몇 가지 규칙들을 정하여 지키는데, 이 경우에도 위험방지를 위한 것과 남의 자유를 방해하지 않기 위한 최소한의 제약이 있을 뿐이다. 남에게 방해가 되지 않는 한 자기가 하고 싶은 일을 마음대로 하고, 학과 수업에 출석하지 않아도 제재를 받는 일이 없다. 또한 숙제와 시험이 없으며, 성적표와 석차도 없다. 이성을 중시하는 지식교육보다는 감정을 중시하는 품성교육에 더 치중하여 아이들의 흥미와 놀이를 중시한다.

니일은 자율의 의미를 다음과 같이 설명하고 있다. "자율은 원죄란 존재하지 않으며, 과거에도 결코 존재한 적이 없다는 인간 본성에 대한 신념을 의미한다. 자율은 유아가 심리적, 신체적인 것들에 있어서 외부의 권위에 의해 강제됨이 없이 자유롭게 살아가는 권리를 의미한다. 그것은 유아가 배고플 때 먹고, 그가 원할 때 청결 습관을 가지며, 결코 호된 꾸지람을 듣거나 체벌을 받지 않음을 의미한다." 이와 같은 자율의 의미 규정과 같이 니일은 자율을 외부의 강제에 의해서가 아니라 자아로부터 비롯되는 행위라고 보았으며, 자율이란 것이 성인기에 이르러 비로소 형성되는 것이 아니라 아동기 또는 영유아기에서부터 형성되어야 한다는 사실을 강조하였다.

4) 슈타이너 - 발도르프 학교

슈타이너는 인간의 발달단계를 3단계로 구분하였다. 7년 단위로 삶을 구분하여, 0~7세, 8~14세, 15~21세의 단계에 따른 특성을 서술하고 이에 따른 교육을 주장하였다. 출생으로부터 7세까지 아이들은 주로 모방을 하는 존재로 인식된다. 즉 지각하는 것과 신체적 표현 사이에 아무런 걸림이 없는 단계이다. 따라서 이 단계에서 아동교육은 모방할만한 가치가 있는 환경을 만들어 주는 일이 중요하다고 보았다. 특히 교사는 자신이 말하는 내용에 의해서가 아니라 행동을 통해서 아이들에게 영향을 미친다. 8세에서 14세의 아이들은 신체발달의 힘이 생기고, 새로운 이성의 힘과 기억력이 생기는 시기이다. 아이들은 모방 대신 체험과 느낌을 통해 세계를 새롭게 파악하는 시기이다. 이 시기에는 교사와 학생의 신뢰관계 형성이 가장 중요하며, 이에는 교사의 권위가 요구된다. 15세에서 21세의 아이들은 이성(理性)의 판단력과 감수성이 발달하며, 새로운 힘들이 솟구치게 된다. 따라서 이 시기에는 교사가 학생들에게 명확한 형태로 제시해 주는 판단력 훈련의 교육이 중요하다.

슈타이너는 인간의 네 가지 특성을 물질적 육체(physical body), 에테르체(etheric body), 아스트랄체(astral body), 자아(ego)로 설명하였다. 물질적 육체란 무기질의 광물계에 속하며 죽어서는 분해되어 없어지고 마는 것이다. 에테르체는 생명체라고 일컬어지는 것으로 생명현상을 지니고 있어 삶의 모든 순간이 소멸될 때까지 물질적 육체를 보존한다. 아스트랄체는 감정체라고도 하며 욕망이나 감정을 표출시키는 요소로 인간이 가지고 있는 동물적 특성을 말한다. 자아는 인간만이 가지고 있는 특성으로 인간의 개성을 표현하는 본체로써 앞의 세 가지 특성을 순수하고 고귀하게 만드는 특수한 역할을 한다.

슈타이너는 인간의 네 가지 기질을 인간의 네 가지 특성의 혼합방식에 따라 다르게 나타난다고 보았다. 물질체가 지배적인 우울질(melancholic temperament), 에테르체가 지배적인 점액질(phlegmatic temperament), 아스트랄체가 지배적인 다혈질(sanguine temperament), 자아가 지배적인 담즙질(choleric temperament)로 결정된다고 보았다. 이러한 기질론을 그는 그의 저서 "인간에 대한 지식(인지학, 人智學, Anthroposophie)"을 통해 아이들에게 부족한 것을 찾기 보다는 아이들의 주된 기질을 찾아, 그 기질을 어떻게 풀어나갈 것인가에 대하여 교사와 부모는 고민해야 한다는 점을 강조하고 있다. 그러한 점에서 교사의 중요한 역할은 학생 개개인의 기질을 파악하고 고정된 기질에서 아이들을 해방시켜주는데 있다고 하였다. 예를 들어 우울질의 아이가 사물을 심각하게 비관적으로 받아들이는 것을 비웃지 않고 오히려 선생님도 그와 같은 기질이 된 것처럼 하나하나 사물에 아주 진지하게 대해줄 필요가 있다. 왜냐하면 우울질의 아이는 우울질의 기질을 충분히 나타냄으로써 안정된 생명감을 얻는 것이기 때문이다. 이와 같이 기질을 충분히 열리게 하면서도 그 결과가 거꾸로 나타나지 않도록 배려하는 것이 발도르프 학교 입학 후 8년이라는 기간에 걸친 담임교사의 역할이기도 하다.

발도르프 학교는 다음과 같은 특징을 지닌다. 첫째, 8년간의 담임교사 제도는 교사와 학생 사이의 긴밀한 유대관계를 형성하여 좋은 교육이 이루어질 수 있다고 본다. 둘째, 유급제도가 없어 학생들의 발달단계인 나이에 맞게 수업을 시킴으로써 과도기적으로 부족한 현상을 배려하면 결과적으로는 대부분 정상화될 수 있다고 보았다. 셋째, 시험과 성적표를 통한 등급화된 성적의 정당성을 부여하지 않는다. 대신 아이들의 특성을 기술한 것을 발급하고 있다. 넷째, 교과서가 없다. 고정된 교과서에 의해 제한된 지식과 정보를 제공하는 것이 아니라 다양한 학습의 소재를 이용하여 개방적 수업을 이끌어가고 학기말에는 자신만의 고유한 노트를 만들게 된다. 다섯째, 주기집중수업을 통해 한 과목을 매일 2시간씩 집중적으로 한두 달 수업하는 것으로 에포크 수업이라고도 한다. 여섯째, 조기 외국어 교육을 통해 다른 언어, 문화를 통한 균형된 인간성과 세계인의 이상을 실현할 수 있다고 보았다.

나. 진보주의 - 킬페트릭

진보주의는 프래그머티즘을 모태로 하여 미국에서 전개된 하나의 교육운동이다. 이 운동의 핵심은 과거의 전통적인 교육이 교사중심 교육이었던 것을 비판하고 이를 아동중심 교육으로 전환시키고자 하는 데 있었다. 즉, 권위적 교사, 교재중심의 딱딱한 교육방식, 암기위주의 수동적 학습, 교육을 사회로부터 고립시키는 폐쇄적 교육철학, 체벌이나 공포 분위기에 의한 교육방식 등에 반대한다는 점에서 프래그머티즘과 공통적인 특성을 보인다.

진보주의 교육론에서 제시하고 있는 7가지 강령은 다음과 같다. 첫째, 아동은 외적 권위에 의하지 않고 자신의 사회적 필요에 의하여 자연스럽게 발달할 자유를 누려야 한다, 둘째, 아동의 흥미와 욕구의 충족이 모든 학습과 활동의 동기가 되어야 한다, 셋째, 교사는 아동의 활동을 고무하고 적절한 정보를 제공하는 안내자가 되어야 한다, 넷째, 아동의 평가는 지적인 면에 대한 평가뿐만 아니라 아동의 신체적, 정신적, 도덕적, 사회적 특징에 대한 평가를 포함하는 것으로서 아동의 발달과 지도에 도움이 되는 것이어야 한다, 다섯째, 가장 중시되어야 할 것은 아동의 건강이며, 따라서 학교의 시설, 환경, 인적 조건은 명랑해야 한다, 여섯째, 학교는 학부모와 긴밀한 협조관계를 유지하면서 아동의 교육에 힘써야 한다, 일곱째, 진보주의 학교는 좋은 전통 위에다 새 것을 담는 실험학교로서 교육개혁 운동의 중핵이 되어야 한다.

진보주의 교육형태는 아동의 흥미와 욕구와 경험을 존중하는 교육으로, 성장하는 아동의 흥미와 욕구를 충족시켜 주는 학습과 경험의 재구성을 통한 성장이 교육의 목적이 되어야 한다. 그러자면 학교는 아동이 학습하기에 즐거운 곳이 되어야 한다. 따라서 학교를 아동들이 있고 싶어하는 행복하고 매력적인 곳으로 만들어야 한다. 즉 아동들이 가고 싶어하는 그러한 학교로 만들기 위해 기존 기계적 암기학습, 교재 중심 학습으로부터 벗어나 아동 중심의 활동, 경험, 문제해결, 그리고 구안법(project method)을 활용하는 교육과정을 도입하였다. 특히, 학습자들이 과학적 방법을 사용하여 문제를 해결하는 과정으로써 자기가 설정한 가설과 계획에 따라 행동하고 학습하는 구안법이 빈번히 사용되었다. 구안법은 과학적 태도뿐만 아니라 민주적 집단행위에도 촉진한다고 보기 때문이다. 진보주의 교육은 교과보다는 학습자인 아동에 초점을 두었다. 언어적, 문자적 기능보다는 활동과 경험을 강조하였으며, 경쟁적, 개인주의적 개별학습보다는 협동적, 집단적 학습활동을 장려하였다. 학교에서의 민주적 생활은 사회개혁을 위한 기초로 간주되었으며, 전통적 가치보다는 문화적 상대주의 입장을 취한다. 그리고 일반적으로 아동에게 교육과정을 전달하는 방식의 교육을 반대한다. 따라서 교육과정은 아동으로부터 구성된다. 학습은 문제해결, 수학여행, 창조적 예술활동, 협동학습과 같은 다양한 형태의 학습방법을 활용한다.

킬페트릭(William H. Kilpatrick, 1871~1965)의 프로젝트 학습은 1918년에 발간한 「구안법(The Project Method)」을 통해 세계에 알려지게 되었다. 듀이의 문제해결학습(problem solving method)을 발전시켜 구안법을 소개하였다. 구안법이란 사회환경 속에서 전심전력을 다하여 행하는 목적지향적 활동을 의미한다. 그것은 손다이크(Thorndike)의 학습의 법칙을 이론적 토대로 하고 있다. 즉, 준비성의 법칙, 연습의 법칙, 효과의 법칙에 의거 구안법을 이론화하였다. 그에 의하면 구안법은 목적을 고정시키며, 과정을 안내하며, 충동 또는 내적동기를 제공한다고 하였다. 그가 제시한 구안법의 네 가지 형태는 다음과 같다. 첫째, 구성적 또는 창조적 구안(constructive or creative project), 둘째, 감상 또는 즐거움을 위한 구안(appreciation or enjoyment project), 셋째, 문제구안(problem project), 셋째, 연습 또는 특수화된 구안(drill or specific learning project)이다. 그에게 있어 교육의 중심개념은 생활, 문화, 인격, 지성으로, 생활이란 물질적으로, 도덕적으로, 심동적으로 만족을 주는 살기 좋은 생활을 의미하며, 문화란 누적된 문명의 자본으로 도덕적 규범, 비판적 사고, 실험적 과학의 단계를 통해 발달해 왔다는 것을 의미하며, 인격이란 살기 좋은 생활과 좋은 문화를 통해 훌륭한 인격을 지니도록 해야 한다는 것이고, 지성이란 교육이 아동의 문제해결의 태도와 능력을 갖도록 도와주는 일이기에 중요한 의미를 지닌다는 것이다.

다. 본질주의 - 브리드

본질주의 교육은 진보주의 교육이 지닌 전통적 교육의 장점들을 소홀히 한 문제점과 한계를 보완하고 극복하기 위해 일어난 교육운동이었다. 즉, 진보주의 교육에 대한 비판에서 나타난 보수적 교육이론이었다. 그러나 진보주의를 전적으로 부정하지 않고 단지 특정 부분에서만 부정하였다.

본질주의 교육의 대표적인 인물로는 베스터(Authur Bester), 브리드(Frederick Breed), 호온(Herman H. Horne) 등이 있다.

본질주의란 문화를 구성하는 가장 본질적인 것들을 교육을 통해 다음 세대에 계승함으로써 역사를 전진시키는 운동력을 길러내자는 하나의 교육사조이다. 본질주의자들이 주장하는 개혁의 초점은 첫째, 교과서의 내용을 학문적으로 재검토하고, 둘째, 학교 교육 프로그램 중에서 본질적인 것과 비본질적인 것을 구분하고, 셋째, 교사의 권위를 다시 회복하는 것이다.

본질주의는 근본적으로 교사의 권위와 교과중심 교육과정의 가치를 강조한다. 교양인이 마땅히 알아야 할 본질적인 요소들이 있는데, 그것들을 반드시 학습시켜야 한다는 것이다. 따라서 본질주의자들에게 교육이란 과거에 개발되어온 기본적 기능, 교양과목, 그리고 과학의 학습을 의미한다.

본질주의의 교육적 입장은 다음과 같다. 첫째, 초등학교 교육과정은 읽기, 쓰기, 셈하기에 도움이 되는 기본적 도구 기능을 함양하는데 목적을 두어야 한다. 둘째, 중등학교 교육과정은 역사, 수학, 과학, 문학, 국어, 외국어 능력을 함양하는데 목적을 두어야 한다. 셋째, 학교 교육은 교과를 필요로 하며 동시에 정당한 권위의 존중을 필요로 한다. 넷째, 학습은 고된 훈련과 노력을 요구한다.

라. 항존주의 - 허친스, 아들러, 마리땡

항존주의 교육은 진보주의 교육이념을 전면 부정하면서 등장하였다. 즉, 본질주의는 진보주의를 부분적으로 비판하였지만 항존주의는 진보주의를 전면적으로 비판하였다. 진보주의가 변화의 원리를 강조한데 반하여 항존주의는 불변의 원리를 강조하고 있으며, 진보주의와 본질주의의 경우 과학주의, 세속주의 물질주의와 관련 있는데 반하여, 항존주의는 반과학주의, 탈세속주의, 정신주의와 관련 있다.

항존주의 교육의 대표적인 인물로는 허친스(R. M. Hutchins), 아들러(M. Adler), 마리땡(J. Maritain) 등이 있다.

항존주의의 철학적 배경은 실재론이다. 인간의 본질이 불변하기에 교육의 기본원리도 불변한다는 것이다. 이처럼 항존주의는 플라톤, 아리스토텔레스, 스콜라 학파 등의 철학에 기원을 갖는 교육철학으로 진리와 원리는 변하지 않는다고 믿으며, 모든 가변적인 것을 이 진리와 원리에 입각해서 해석하려는 입장이다.

항존주의자들은 보편적 교육의 목적이 진리의 탐구와 보급에 있다고 본다. 진리는 불변하고 보편적이다. 따라서 진정한 교육도 불변하고 보편적이다. 따라서 학교의 교육과정은 보편적이고도 불변하는 인간의 삶에 관한 주제들을 강조해야 한다. 즉 이성을 계발하기 위해 지적 교과를 포함해야 하며, 정의적 태도의 계발을 위해 도덕적, 심미적, 종교적 원리들에 대한 탐구도 포함해야 한다고 하였다.

항존주의의 주요한 교육원리는 다음과 같다. 첫째, 진리는 보편적이며, 장소, 시간, 사람 등과 같은 환경에 의존하지 않는다. 둘째, 훌륭한 교육은 진리의 탐구와 이해이다. 셋째, 진리는 위대한 고전들 속에서 발견될 수 있다. 넷째, 교육은 이성을 계발하는 것이며, 이를 위해 교양교육이 강조되어야 한다. 이로 인해 학문중심, 교과중심 교육의 흐름을 가져왔다.

마. 실존주의 - 니체, 하이데거, 사르트르

실존주의는 현대문명의 비인간화에 대한 반항으로 등장하였다. 제1,2차 세계대전이 일어나기 이전에 현상학자인 후설에 의해 철학의 관심을 인식론으로부터 존재론으로 전환시켜야 한

27

다는 주장이 있어 왔다. 그러한 주장은 제1,2차 세계대전의 비극적 체험을 통해 더욱더 촉진되었다. 과학과 기술문명의 발달은 빈곤의 문제를 해결하였지만, 인간의 주체성을 말살하는 역현상도 발생시켰다. 이러한 시대적 상황 속에 실존주의가 생겨난 것이다.

실존주의가 추구하는 기본적 가치는 '나 자신'의 주체성과 개체성을 찾고자 하는 것이다. 당시 사회는 불특정 다수로 형성된 대중사회 속에서 인간의 주체성이 말살된 획일화된 개체로서의 익명성을 요구받아 왔다. 이러한 사회 속에서 인간은 진정한 '나'를 상실한 비실존적 삶을 영위하고 있었다. 그래서 진정한 '나 자신'을 찾고자 하는 실존적 관심이 커지게 되었다.

실존주의는 기존 철학의 관심을 전환시켰다. 기존 철학이 지닌 관심은 '진리와 본질이 무엇인가?(존재론)', '진리와 본질에 어떻게 접근하는가?(인식론)'에 대한 것이었다. 그러나 실존주의는 진리와 본질의 문제를 종속적인 지위로 내려 앉히며 철학의 관심을 실존이라는 주제로 전환시켰다. 그들은 실존이 본질에 선행하는 것으로 보았다.

사르트르는 실존과 본질을 제화공과 신의 예로 설명하였다. 기존의 철학에서는 제화공이 신발을 만들 때 그가 만들려는 신발(현상)의 이데아(본질)가 신발을 만들기 이전에 그의 마음 속에 자리잡고 있는 것과 마찬가지로 신도 인간(현상)을 만들기 이전에 인간의 이데아(본질)를 마음 속에 가지고 있었던 것으로 본다. 따라서 항상 본질이 실존에 선행한다는 것이다. 하지만 사르트르는 인간의 창조주는 없다고 본다. 인간은 스스로를 발견한다는 것이다. 즉 인간의 실존이 먼저 있고 그 다음에 그 자신의 본질을 결정해 나간다는 것이다. 인간이 먼저 존재하고 나서 그 자신을 결정한다는 것이다.

실존주의에서의 인간은 그 자신의 본질을 결정하는데 있어서 완전히 자유롭다. 인간은 되고자 하는대로 선택할 수 있다. 따라서 실존주의에서는 각 개인 스스로가 옳고 그름을 판단할 뿐만 아니라 옳고 그름을 판단하는 준거까지도 결정한다. 그러나 이때 윤리적 선택에 대한 인격적 책임은 필수적이다. 즉 도덕적 결정에 있어서 개인의 책임을 크게 강조하는 것이 실존주의의 중심원리이다.

실존주의에서 인간의 존재는 스스로를 초월함으로써 특징지어지며 끊임없이 인간의 본질을 재조정한다. 인간의 실존은 그에게 열려있는 가능성들의 선택에 달려있다. 그리고 그러한 선택은 결코 한 번만으로 끝나는 것이 아니기 때문에 그의 실존은 불확정적인 것이다. 즉 실존주의에서는 인간을 "그 자신의 본질을 결정하는 자, 그리고 그 자신의 가치를 규정하는 자"로써 파악한다.

실존주의의 대표적인 인물로는 니체(Friedrich Nietzsche), 하이데거(Martin Heidergger), 사르트르(Jean-Paul Sartre), 카뮈(Albert Camus), 메를로-퐁티(Maurice Merleau-Ponty), 부버(Martin Buber) 등이 있다.

실존주의 교육에서는 개인을 "선택하는 행위자, 자유로운 행위자, 그리고 책임을 지는 행위자"로 규정하면서 개인으로 하여금 이러한 의식을 갖도록 일깨운다. 즉 실존주의는 완전한 자유 속에서 홀로 결단에 의한 개인적 선택을 하되, 자신의 선택에 대해 철저한 책임을 지도록 한다. 이런 의미에서 실존적 사고를 따르는 교육은 선택과 책임에 대한 깊은 개인적 반성을 강조한다. 따라서 실존주의 교육에 있어서 가장 중요한 지식이란 인간의 조건들과 각 개인이 행해야만 하는 선택에 관한 것이며, 교육이란 선택의 자유 그리고 선택의 의미와 그 선택에 대한 책임에 관해 의식을 일깨워주는 과정이라고 본다. 이처럼 실존주의 교육에서는 학생으로 하여금 그에게 유용한 수많은 선택으로부터 그 자신의 길을 선택하도록 하게 한다. 따라서 학교는 선택적 분위기를 조성하여야 하되, 학생이 하지 않으면 안 될 선택의 종류를 일방적 내지는 획일적으로 규정하여서는 안된다.

실존주의에서 특히 강조하는 교과목은 인문학과 예술이다. 이는 실존적 선택이 매우 개인적이고 주관적이기 때문에 정서적이고 심미적이며 시적인 과목들이 실존적 교육과정에 적합하다고 본다. 즉, 인간의 정서 및 심미적 성향과 도덕적 성향이 이러한 과목들을 통해 잘 계발될 수 있다고 보기 때문이다.

실존주의 교육에서 중요시하는 또 다른 측면은 삶의 부조리나 실존적 긴장 등의 불안이다. 이들은 진정한 인간 교육이 삶의 좋은 측면뿐만 아니라 삶의 불합리한 측면으로서의 삶의 추한 측면까지도 포함한 인간교육을 해야 한다는 입장이다. 흔히 학교는 종교, 죽음, 출생, 성(性) 등에 관한 문제에 있어 계획적인 거짓말이나 회피를 한다. 이러한 사실들을 학생들이 알게 하는 것이 불안이나 두려움을 자아내게 하므로 해가 된다고 보기 때문이다. 그러나 실존주의자들은 오히려 그 반대라고 주장한다. 진짜 상황을 알지 못하게 하면 더 큰 불안을 유발하게 한다는 것이다. 그래서 그들은 죽음, 좌절, 갈등, 고통, 공포, 성 등과 같은 주제를 교육내용으로 끌어들여야 한다는 것이다.

바. 분석철학- 비트겐슈타인

분석철학은 20세기 전후 기존 철학에 대한 문제를 언어분석을 통해 비판해 가면서 생겨난 철학이다. 기존 철학이 영원불변의 궁극적인 진리와 본질을 중심으로 발전해 왔으나, 과학과 수학의 발달로 고정불변에 대한 입장이 흔들리게 되었다. 더욱이 19세기에 들어 다윈의 진화론은 생물의 종(species) 마저 고정불변한 것이 아니라 환경에 의해 변화한다는 것이 증명되면서 영원불변의 궁극적 진리와 본질에 대한 의구심이 생겨나던 시기에 분석철학이 등장하게 되었다.

분석철학의 대표적인 인물로는 비트겐슈타인(L. Wittgenstein)과 러셀(Russell) 등이 있다. 그들의 관심은 철학탐구의 태도에 있다. 여기서 말하는 태도란 탐구에 있어서 먼저 형이상학적 전제를 내세우는 것을 배제하며 논리적 분석을 통해서 문제의 명확화와 그 해결을 찾아가는 것이다. 이때 논리적 분석이란 우리의 사상이나 사고는 주로 언어에 의해서 전개되고 표현되는 것이므로 언어분석을 가장 중요한 것이라고 보고 있다.

분석철학의 언어분석에 있어서의 접근방식은 20세기 이전과 이후로 나뉘어 진다. 20세기 이전은 자신의 철학적 명제들이 갖는 의미의 이해를 위해 언어를 명료화하기 위한 하나의 수단이었다. 반면 20세기 이후의 분석은 언어의 정확한 사용을 목적으로 하였다. 따라서 이들은 철학적 명제를 만들지는 않지만 다른 사람들이 정립해 놓은 기존 명제들의 정확한 의미를 명료화하는데 더 관심을 기울였다.

분석철학자들은 많은 교육의 문제들이 본질적으로 언어의 문제라고 주장한다. 따라서 언어의 문제를 해결한다면 교육문제들을 더 잘 해결할 수 있을 것이라 믿는다. 하지만 분석철학자들은 학생과 교사가 해야 할 일 또는 하지 말아야 할 일에 관한 규범적 진술과 그러한 활동에 관한 가치의 진술을 회피한다. 예를 들어 학교에서 학생들에게 특정의 책을 읽도록 하였을 때, 그들은 학생들이 그 책을 읽고, 생각하고, 학습해야 한다는 것을 말하는 대신 '읽다', '생각하다', '학습하다'라는 것이 무엇을 의미하는지를 검토할 것이다. 즉, 어떤 규정을 내리거나 가치판단은 하지 않는다는 것이다. 이는 그들의 주요 관심이 언어분석을 통한 언어 명료화에 있기 때문이다. 또한 그들은 교육에 사용되는 언어 명료화뿐만 아니라 교육에 사용되는 각종 개념도구들, 그것들을 사용하는 과정, 그리고 명시된 목적에 관심을 둔다. 따라서 그들이 분석적 입장에서 저술한 교육철학 서적들에는 개념들의 분석, 교육행위에서 일어나는 문제와 논쟁점을 검토하고 그러한 논쟁점이 명료성을 갖도록 분석하는데 집중하고 있음을 알 수 있다.

분석철학자들에게 있어 교사는 생각과 말을 중요시해야 한다. 교사들이 생각하고 말하는 것에 책임을 져야 한다는 것이다. 만약 명료하게 생각하고 말하지 않는다면 학생들은 혼동과 편견을 갖게 된다는 것이다. 따라서 교사들은 무엇보다도 교육적 용어들에 대한 개념을 명확히 하고, 교육적 행위를 실천하고 행동하는데 책임있는 자세를 가져야 한다고 하였다.

사. 포스트모더니즘

포스트모더니즘 등장의 이론적 배경은 몇 가지 측면으로 나누어 설명할 수 있다. 첫째, 정치적인 측면에서는 제2차 세계대전 이후 세계를 지배하여 왔던 공산주의와 자유주의 이데올로기 간의 대립적 구도가 붕괴되고, 비이데올로기적인 부분에서 환경, 여성, 인종, 인권, 인류 문제 등이 부각되면서 이에 대한 여러 이론과 실천의 정당화 근거로서 등장하였다. 둘째, 경제적인 측면에서는 다국적 자본에 의해 소비가 부추겨지고 주체적 자아 및 비판의식의 해체가 시도되는 현상을 정당화하기 위한 이론적 근거로서 등장하였다. 셋째, 사회적 측면에서는 현대의 정보화 사회에서 모든 사람과 사물이 기호로써 존재할 뿐만 아니라 그 존재 의미 또한 기호적으로 생성되므로 인간과 사물의 기호화와 기호적 의미화를 정당화할 수 있는 이론적 근거로서 등장하였다. 넷째, 문화적 측면에서는 메스미디어의 발달로 이성 중심에서 감성 중심으로, 논리적 판단에서 감각적 판단으로, 동질지향성에서 이질지향성으로, 자기절제에서 자기표현으로, 감성의 억제에서 감성의 해방으로, 정적 문화에서 동적 문화의 추구 등으로 변화하는 가치관을 정당화하기 위한 이론적 근거로서 등장하였다. 다섯째, 예술적 측면에서는 기존의 예술 작품을 새롭게 다루는 예술적 기법을 시도하고자 하는 분위기가 형성됨에 따라 예술적 독창성이라는 굴레를 벗어던지는 예술가들의 시도를 정당화하기 위한 이론적 배경에서 등장하였다. 여섯째, 학문적 측면에서는 고전물리학적 과학이라는 학문의 절대적 전형이 무너지고, 학문과 비학문의 경계도 무너진 상황에서 현대의 학문적 상황을 설명해 줄 이론적 근거, 즉, 어떠한 담론도 인정되고 정당화될 수 있는 학문적 다원주의의 이론적 근거가 필요하게 됨에 따라 등장한 것이 포스트모더니즘인 것이다.

포스트모더니즘이라는 용어를 학문의 영역으로 끌어들여 학술적 논쟁을 유발한 사람을 리오타르(J. F. Lyotard)다. 리오타르는 포스트모더니즘을 대서사(grand narratives)에 대한 거부, 형이상학적 철학에 대한 거부, 그리고 총체적 사고에 대한 거부로 기술한다. 근현대 사회는 모든 사람에게 보편적으로 적용되는 큰 주제, 즉 이론체계인 대서사를 구축하여 왔다. 그러나 포스트모던 사회에서는 지금까지 대서사에 의해 거부되고 억압되어온 소서사를 이야기한다. 즉 포스터모던 사회의 구성원들은 국가 발전, 역사적 진보 등과 같은 거창한 담론보다는 자신의 가정과 개인의 삶 등과 같은 자기주변적인 것에 관심을 갖는다. 즉 대서사의 전체성과 보편적 이성을 거부하는 포스트모던 사회는 소서사가 정당화되는 사회이다.

포스트모더니즘의 주요 특징은 전체성에 대한 비판, 이성에 대한 비판, 보편성에 대한 비판으로 정리되며, 이러한 비판들을 근간으로 하는 포스트모더니즘은 다원성을 토대로 이성을 달리 생각하라는 하나의 시대적 요청으로 파악된다.

포스트모더니즘의 기본 입장은 첫째, 반정초주의(anti-foundationalism)다. 궁극적인 절대적 기초가 존재한다는 기존 철학의 기본 가정과 신념을 정초주의라는 이름으로 비판하고 배격하는 입장이다. 둘째, 다원주의(pluralism)는 상이한 사회와 집단들은 그들의 특정한 필요와 문화에 적합한 가치를 구성한다는 입장이다. 셋째, 반권위주의(anti-authoritarianism)는 모든 지식이 생산자들의 이익과 가치를 반영한다는 점에서 권위집단(학자, 성직자, 정치가 등)에 의해 형성된 지식과 가치가 비권위집단(학생, 시민 등)에 전달되지 말아야 한다는 것이다. 즉, 도덕적 탐구는 개방적이고 비판적인 대화를 중시하는 민주주의적이고 반권위적인 방법으로 시행되어야 한다는 입장이다. 넷째, 연대의식(solidarity)은 타인에게 해를 끼치는 억압적인 권력, 조종, 착취, 폭력 등을 거부하는 의식으로 공동체, 존중, 상호협력의 정신을 증진시키고자 하는 입장이다.

포스트모더니즘의 교육적 의의로는 소서사적 지식의 중시, 교육현장 내에서의 작은 목소리 존중, 과학적 및 합리적 이성의 극복과 그에 따른 감성적 기능 회복, 교육의 구조적 변화 촉발, 공교육 체제에 대한 비판적 시각의 제공 및 대안교육의 실험교육의 토대 마련, 교육 및 인간이해에 대한 지평 확대, 보편성, 획일성, 전체성의 극복과 그에 따른 다양성과 다원성의 존중, 권위주의의 극복, 지엽적이고 특수한 삶의 문제들에 대한 의미 부여, 페미니스트 교육학의 발전적 토대 제공, 연대의식의 존중, 차이와 타자성 존중, 비판의식 함양 등을 들 수 있다.

포스트모더니즘의 한계로는 도덕교육에 대한 방향 제시 미흡, 극단적 이기주의화에 대한 우려, 삶과 도덕성에 대한 보편적 기반의 부재, 이성 경시에 따른 삶의 불완전성, 오랜 역사와 사회적 맥락 속에서 형성되어 온 교육적 가치와 전통의 해체에 따른 교육 공동화 현상, 해체 위주에 의존함으로써 사회문화적 재건에 대한 비전 결여, 기존의 전통과 조화하려는 종합적 노력의 결여 등을 들 수 있다.

Ⅲ. 교육행정

1. 교육행정이론

가. 과학적 관리론

과학적 관리론(scientific-management theory)은 미국의 남북전쟁(1861~1865년) 후 기계공업이 급속히 발전하면서 생산량과 노동자의 수가 증가하였으나 수요는 그에 미치지 못하며, 치열한 경쟁과 파산, 경제공황 등을 겪던 시기에 발생하였다. 과학적 관리론은 생산공정에 있어서 개개인의 작업을 가장 간단한 요소동작으로 분해하고, 각 요소동작의 행태, 순서, 소요시간을 시간연구(time study)와 동작연구(motion study)로 표준화하여 하루의 공정한 작업량을 설정하고 이 과업을 기준으로 기업을 관리하는 관리의 과학화를 의미한다.

테일러(F. W. Taylor)는 과학적 관리론에서 경영합리화를 위해 다섯 가지 작업관리 원리를 적용해야 한다고 주장하였다. 첫째, 노동자에게 명확하게 규정된 충분한 하루의 작업량을 준다. 둘째, 노동자가 과업을 확실히 수행할 수 있도록 필요한 모든 조건을 표준화한다. 셋째, 노동자가 주어진 과업을 성공적으로 달성했을 때는 높은 임금을 준다. 넷째, 노동자가 주어진 과업을 달성하지 못했을 때는 손실보상을 받는다. 다섯째, 노동자에게 주어지는 과업은 일류 노동자만이 달성할 수 있을 만큼 어려워야 한다.

과학적 관리론을 교육행정에 처음 도입했다고 볼 수 있는 보빗(J. Frankin Bobbitt)은 교육행정에서 과학적 관리론의 적용을 주장하며 다음과 같은 원칙을 제시하였다. 첫째 가능한 모든 시간에 모든 교육시설을 활용하도록 한다. 둘째, 교직원의 작업능률을 최대로 유지하고, 교직원 수를 최소로 감축시킨다. 셋째, 교육활동 중의 낭비를 최대한 제거한다. 넷째, 교직원들에게 학교행정을 맡기기보다는 학생들을 가르치는데 최대한 활용한다.

과학적 관리론은 교육에 도입되어 학교의 조사, 연구를 통하여 교육행정의 실제를 개선하려 했으며, 계량적 연구를 통해 가시적인 성과기준, 목표, 능력이 확인되고 측정될 수 있도록 노력했다. 그럼에도 불구하고 과학적 관리론을 포함한 고전적 조직이론(페욜의 생산관리론, 베버의 관료제, 굴릭과 어윅의 행정관리론 등)은 조직구조를 중요시하고 인간을 체제에 부속되어 있는 부품으로 보았다. 이러한 그들의 주요 관심사는 능률과 생산성이었고 인간은 부차적인 것으로 바라보는 인간소외 등에 대한 문제를 발생시켰다.

나. 인간관계론

인간관계론(human relations)은 과학적 관리론의 결함을 보완하기 위해 대두되었다. 과학적 관리론은 조직 자체를 기계화하고 인간까지도 기계화, 부품화함으로써 인간의 정체성을 상실하게 하여 인간소외현상을 초래하였다. 뿐만 아니라 과학적 관리론은 조직을 대규모화, 관료제화 하여 조직내 인간의 주체성을 상실시켰다. 이러한 것은 인간의 감정적, 정서적인 비합리적 요소가 역작용하여, 상호간의 협력이 이루어지지 않고, 사기, 자발적, 창의성 등이 저하되어 작업능률을 떨어뜨렸다. 물론 노동자의 교육수준, 생활수준의 향상과 민주주의 의식의 발달 등도 작용하여 과학적 관리론의 결함과 맞물려 인간관계론을 촉진시켰다.

인간관계론의 사상적 기초는 호손 실험(hawthorne Experiments)이었다. 호손 실험은 하버드 대학 교수인 메이요(E. Mayo)와 뢰슬리스버거(F. J. Roethlisberger)를 중심으로 시카고 서부전기회사의 호손공장에서 1924년부터 1932년까지 8년간 실시된 실험연구이다 이 연구는 작업장의 조명수준, 휴식시간, 노동시간, 급여 등과 같은 물리적 요인과 조직내의 인간적 요인에 변화를 주면 생산성에 어떤 효과가 나타나는가를 규명하는 것이었다. 그들은 이상의 실험을 통해서 물리적 직무조건보다 사회적, 심리적 조건이 노동자의 생산성을 증가시키는 데 기여하고 있음을 발견하였다. 그리고 노동자의 동기와 직무만족이 생산성의 증가와 밀접한 관계가 있음을 발견하였다.

호손 실험의 결과, 인간의 사회적, 심리적 욕구가 중요하며 이의 충족을 통해서 동기가 유발되고 성과가 높아진다는 것을 발견하였다. 뿐만 아니라 구성원들은 작업장을 하나의 사회적 장으로 인식하고 있다는 것이다. 즉, 작업장은 구성원들이 같이 느끼고 생각하고 어울리는 감정이 교류되고 결합하는 장으로써, 이것이 생산성에 영향을 준다는 것이다. 이와 같은 것으로 비공식적 집단의 중요성과 집단역학에 대해 이해하게 되었다.

인간관계론이 교육행정에 영향을 준 것은 1938년 레빈(K. Lewin) 등에 의해 실시된 지도성에 관한 실험적 연구이다. 이들은 지도성을 권위형, 민주형, 자유방임형으로 나누어 실험한 결과, 민주형이 민주적 집단 분위기를 이루고 협동성, 창의성, 생산성 등에서 다른 지도성 유형보다 높다는 것을 발견하였다. 이러한 민주형 지도성은 인간관계론을 바탕으로 하고 있으며 교육행정에 있어 인간관계가 중요하다는 것을 볼 수 있다.

다. 행동과학론

행동과학(behavioral science)은 과학적 관리론이나 인간관계론이 공식적 구조와 사회적 관계의 영향을 소홀히 다루었기 때문에, 1950년대를 전후하여 구조론자들은 이 두 학파를 통합하고 심리학, 사회학, 정치학, 경제학 등에서 도출된 명제를 첨가하여 행동과학적 접근을 시도하였다. 행동과학적 접근의 기본적인 요건은 첫째로 인간행위를 다루어야 하며, 둘째로 과학적 접근법을 적용해야 한다. 즉, 객관적인 방법으로 수집된 실증적 증거에 의거하여 인간행위에 관한 일반화를 시도하는데 목적이 있다.

행동과학적 접근의 내용은 다음과 같다. 첫째, 조직구성원의 행동양식에 연구의 초점을 둔다. 둘째, 가치와 사실을 구별하고, 가치를 연구대상에서 제외한다. 셋째, 이론의 검증성을 강조함으로써 계량적인 접근이나 기법을 택한다. 넷째, 인간행동을 설명하는데 주안점을 두었기 때문에 학문간 협동적 접근법을 택한다. 다섯째, 행정현상을 의사결정과정으로 파악한다. 여섯째, 행정을 개인상호간 또는 개인과 집단간의 역동적 과정으로 파악한다.

행동과학적 접근은 인간관계론의 연구결과를 흡수하고 과학적 관리론의 구조적 분석 등의 방법을 토대로 교육행정을 과학화하는데 공헌하였다. 하지만 교육행정 현상의 연구에서 가치를 배제시켰다는 비판과 지나친 엄격성과 논리성 및 정밀성을 강조하여 형식논리에 빠지기 쉽다는 비판도 받으며, 신과학적 관리론으로도 불린다.

라. 체제이론

체제이론(systems theory)은 종래 이론들의 한계를 보완하기 위해 1960년대를 전후하여 생성되고 발전된 교육행정의 통합적 접근이론이다. 여기서의 체제란 각 부분들이 공동의 노력을 통하여 합리적인 전체를 형성하여 기능적이고 조직적인 형태를 유지하고 있는 각 부분들의 질서정연한 결합체를 의미한다.

학교는 사회적 상호작용의 체제이다. 즉, 유기적으로 상호관계에 있는 부분들로 구성되어 있는 조직된 전체와 같다. 사회체제로서의 학교는 상호독립된 부분들, 명확히 한정된 인구, 학교 주변의 환경과의 구별, 복잡한 사회적 상호작용의 망, 그리고 독특한 문화 등으로 특징지어진다. 그러므로 사회체제로서 학교를 분석하는데 있어서는 공식조직뿐만 아니라 비공식조직도 포함시켜야 한다.

겟젤스(J. W. Getzels)와 구바(E. G. Guba)는 교육행정을 사회과정으로 학교조직을 사회체제로 보고 그 사회체제 안에서 이루어지는 사회적 행위에 관한 일반적인 개념모형을 제시하였다. 사회체제는 조직적 차원과 개인적 차원으로 이루어져 있으며, 이들 두 차원은 서로 독립적인 요소이면서 한 사회체제 내부의 실제적 상황에서는 서로 밀접한 유대를 가지고 상호작용의 관계에서 사회적 행위가 이루어진다고 보았다. 조직적 차원의 구성요소는 제도, 역할, 역할기대이고, 개인적 차원은 개인, 인성, 욕구성향으로 되어 있다. 즉, 사회체제에 있어, 조직적 차원은 제도에 의해 규정되며, 제도는 역할에 의해서, 역할은 역할기대에 의해서 규정된다. 마찬가지로 개인적 차원도 개인은 인성에 의해서, 인성은 욕구성향에 의해서 규정된다고 보았다.

호이(W. K. Hoy)와 미스켈(C. G. Miskel)은 교육성과에 영향을 주는 조직변수들을 체제접근모형으로 설명하였다. 이 모형에서 투입과 산출은 학교조직의 경계를 넘어 환경과 연결되어 있으며, 전환과정에서 학교조직을 관료적 구조, 집단적 풍토, 개인적 인성으로 나누어 설명하고 있으며, 성과는 사회적 행위로 나타나고 있다. 그러나 이 사회적 행위는 조직목표와 개인목표의 달성 정도로서 표시되며 이것들은 평가되어 필요에 따라 내적 및 외적 환류과정을 거쳐 수정되고 보완된다.

2. 교육조직이론

가. 학교조직유형

학교조직의 특징으로는 분업과 전문화, 몰인정성, 권위의 계층, 규칙과 규정, 경력지향성이 있다. 우선, 분업과 전문화는 전문적 기술과 지식을 생산하는 반면 업무의 단순화로 인한 피로감이 생겨 일에 흥미를 상실하여 권태감의 역기능이 초래될 수 있다. 몰인정성은 합리성을 높일 수 있으나 구성원의 사기저하를 초래할 수 있다. 권위의 계층은 훈련된 명령체계와 조정을 가능하게 하는 반면 의사소통을 왜곡하고 봉쇄할 우려가 있다. 규칙과 규정은 계속성과 안정성 및 통일성을 제공하는 반면 경직성을 낳게 한다. 경력지향성은 구성원들에게 충성심을 불러 일으켜 구성원들이 최대의 노력을 하도록 동기화하는 데 기여하지만 업적과 연공제 간의 갈등을 가져오게 한다.

학교조직에 관한 연구 중에서 학교조직의 관료화 정도에 따라 학교조직유형을 구분하려는 시도들이 있어 왔다. 그러한 연구 등을 통해 발견된 두 개의 특징은 관료성(bureaucratic)과 전문성(professional)이다. 이 두 가지 특징을 이분화하여 학교조직유형을 네 가지로 구분하면 [그림 Ⅲ-1]과 같다.

전문성

		높음	낮음
관료성	높음	베버적 (Weberian)	권위주의적 (Authoritarian)
	낮음	전문적 (Professional)	무질서적 (Chaotic)

[그림 Ⅲ-1] 학교조직의 네 가지 유형

베버적(Weberian) 학교조직은 전문화와 관료화가 서로 보충적이며 모두 높은 유형이다. 이 유형은 베버의 이상적 관료제와 유사하여 베버적 유형이라 부른다. 베버적 유형의 특징으로는 분업과 전문화, 계층제, 법규, 몰인정성, 전문자격 기준과 보수제, 지휘계통 행정관리, 문서주의 등을 들 수 있다.

권위주의적(Authoritarian) 학교조직은 관료적 차원은 높고 전문적 차원은 낮은 유형이다. 계층 내에 지위를 기본으로 한 권위를 강조한다. 규칙과 규정과 지휘에 훈련된 복종이 운영의 기본원리가 된다. 이 유형은 권위주의적 유형이라고 부른다.

전문적(Professional) 학교조직은 관료적 차원은 낮고 전문적 차원은 높은 유형이다. 전문직원은 중요한 의사결정에 전문적 기술과 기술적 지식을 지닌 전문가로 행동한다. 이와 같은 유형을 전문적 유형이라 한다.

무질서적(Chaotic) 학교조직은 관료적 차원과 전문적 차원이 모두 낮은 유형이다. 이 유형은 무질서한 유형이라 부르며, 매일매일 혼동과 갈등이 끊이지 않고, 모순과 상치, 비효과가 만연한 유형이다.

나. 학교조직문화

학교조직문화는 학교조직구성원들이 당연한 것으로 받아들이고 있는 공유된 기본가치, 신념, 의식과 의례, 일화, 상징, 영웅, 그리고 지식과 기술을 포함하는 종합적 개념으로서 학교조직구성원과 학교조직 전체의 행동에 영향을 주는 기본요소라 할 수 있다.

학교조직문화의 유형을 이해하는데 유용한 조직문화 유형으로는 사회적 관계(social transaction)에 따른 문화, 인적자원 지향(human resources orientation)에 따른 문화, 문화 형질(culture phenotype)에 따른 문화로 구분할 수 있다.

1) 사회적 관계에 따른 문화

조직문화의 중심적 관점은 사회적 관계에 대한 신념들과 관련되어 있다. 퀸(R. E. Quinn)과 맥그래드(M. R. Mcgrath)는 조직의 지배적인 관계기대감에 기초한 문화유형을 다음과 같이 네 가지로 제시하였다.

첫째, 합리적 문화(rational culture)는 권력의 집중화, 통합된 활동, 타조직과의 경쟁을 유발하는 대외적 초점으로 특징지어진다. 효율성, 생산성, 이익이나 영향이 중심적 가치가 된다. 조직의 성과를 극대화시키는 수단으로는 목표의 명료화, 개인의 판단력, 결정력 등이다.

둘째, 이념적 문화(ideological culture)는 발전적 문화(developmental culture)로도 불린다. 조직의 초점이 외적 경쟁과 성장에 있다. 광범위한 목표와 카리스마적인 지도성을 발휘하여 조직과 조직의 가치에 헌신하도록 한다. 조직의 확대와 거래에 필요한 외적 자원과 자원을 획득하기 위한 경쟁에 직권력, 창의력, 혁신성이 가치로운 수단으로 이용된다. 발전적 문화는 강력하고 효과적인 문화적 특성을 지닌다.

셋째, 합의적 문화(consensual culture)는 권한의 분산, 활동의 분화 그리고 체제유지를 위한 내적 초점에 특징이 있다. 조직의 거래는 토의, 참여, 합의에 기초하고 있다. 따라서 팀웍, 높은 사기, 신뢰감을 북돋우는 친밀하고도 협동적인 교환관계가 성립한다.

넷째, 계층적 문화(hierarchical culture)는 체제유지에 대한 내적 초점뿐만 아니라 권력의 집중과 활동의 통합에 있다. 공식적 규칙과 규정의 집행에 따라 행동이 추진된다. 안정성, 통제, 예측성, 조정, 책무성 등이 중요한 가치다. 통합과 균형을 추진하는 정보처리 과정에 있어서 정확한 평가, 기록, 계산이 핵심적 특징이다.

이상의 네 가지 유형을 권력의 분산과 체제 지향성 관점으로 나타내면 [그림 Ⅲ-2]와 같다.

체제의 지향

		내적	외적
권력의 분산	분산	합의적 문화 (consensual culture)	이념적 문화 (ideological culture)
	집중	계층적 문화 (hierarchical culture)	합리적 문화 (rational culture)

[그림 Ⅲ-2] 조직문화의 네 가지 유형

2) 인적자원 지향에 따른 문화

인적자원 지향성에는 '인간에 대한 관심'과 '성과에 대한 관심'의 두 가지 기본적 차원이 있다. 인간에 대한 관심은 조직구성원의 복지와 존엄성에 대한 헌신을 반영하며, 성과에 대한 관심은 조직구성원이 가능한 한 최선을 다해서 수행할 것이라는 조직의 기대를 나타낸다. 이를 네 가지 유형으로 구분하면 다음과 같다.

첫째, 보호문화(caring culture)는 조직구성원의 복지에 높은 관심을 나타내지만 성과에 대해서는 높은 기준을 강요하지는 않는다. 이러한 유형의 문화는 대체로 조직설립자나 주요 지도자의 가부장적인 철학의 표현이다. 경쟁적인 환경이 위협적이지 않는 한 이러한 유형의 문화를 가진 조직은 조직구성원들이 지도자에게 순응할 준비가 되어 있기 때문에 원만하게 운영되며, 조직구성원들이 충성과 확고부동함으로 인하여 존속하고 번성하게 된다. 팀웍, 협동, 동조, 순응이 중요한 가치가 된다.

둘째, 냉담문화(apathetic culture)는 인간과 성과 모두에 대해서 무관심한 조직으로 특별한 환경에 의해 보호받지 않으면 조직의 존속이 문제시된다. 사기저하와 냉소주의가 조직에 스며들어 불합리적이거나 소외적인 지도성과 연계된다. 음모, 파당, 분열이 만연하여 불신, 논쟁, 불확실, 혼란이 냉담문화를 조장하게 된다. 이러한 문화를 가신 조직은 효과성이니 효율성보다 기득권과 이해관계에 의해 지배된다.

셋째, 실적문화(exacting culture)는 조직구성원들의 복지에 대해서는 거의 관심을 보이지 않지만 조직구성원들에게 높은 성과를 요구한다. 실적문화는 출세지향적이며, 인간은 소모품이며, 성과만이 강조된다. 보상은 개인적인 성과와 직접적으로 연계되어 있다. 성공, 경쟁, 모험추구, 혁신, 공격성 등이 기본가치이다. 비록 모험추구와 창조성이 가치로운 것이기는 하나 실패에 대해서는 엄한 벌이 따르게 된다.

넷째, 통합문화(integrative culture)는 높은 성과에 대한 요구는 물론이고 인간에 대한 관심도 높은 문화이다. 이 문화에서 인간에 대한 관심은 가부장적인 것이라기 보다는 인간의 존엄성에 대한 진지한 관심을 나타낸다. 인간은 조직에 중요한 공헌을 할 수 있는 존재로 가정하고 있으며, 그렇게 하기를 기대한다. 사람들에게 그들이 할 수 있도록 자유를 허용하는 것이 중요한 원리이다. 이 문화에서는 지위의 구별이 중시되지 않으며, 비공식성과 평등주의를 지향하는 경향이 있다. 그러나 개인적인 성공보다는 집단적 성공에 강조점을 둔다. 이러한 통합문화는 협동, 창의성, 모험추구, 자기성찰, 실험 등이 높은 가치를 지닌다.

이상의 네 가지 유형을 인적자원 지향성의 관점에서 나타내면 [그림 Ⅲ-3]과 같다.

		성과에 대한 관심	
		높음	낮음
인간에 대한 관심	높음	통합문화 (integrative culture)	보호문화 (caring culture)
	낮음	실적문화 (exacting culture)	냉담문화 (apathetic culture)

[그림 Ⅲ-3] 조직문화의 네 가지 유형

3) 문화 형질에 따른 문화

스타인호프(C. R. Steinhoff)와 오웬즈(R. G. Owens)는 공립학교에서 발견할 수 있는 다음과 같은 네 가지 문화유형을 제시하였다.

첫째, 가족 문화(family culture)의 학교는 가족, 가정, 팀과 같은 용어를 사용할 수 있다. 교장은 부모, 양육인, 친구, 형제, 코치 등으로 묘사될 수 있다. 이 학교에서는 학생에 대해 의무 이상으로 헌신하는 것은 물론 서로에 대한 관심이 중요하다. 모든 사람이 가족의 한 부분이 되어야 하고, 제 몫을 해야 한다. 가족으로서의 학교는 애정어리고 우정적이며, 때로는 협동적이고 보호적이다.

둘째, 기계 문화(machine culture)의 학교는 기름을 잘 바른 기계, 정치적 기계, 벌집, 녹슨 기계 등으로 표현할 수 있다. 기계로서의 학교는 순전히 기계적인 것으로 간주된다. 학교의 원동력은 조직자체의 구조로부터 나오고, 행정가는 유지를 위한 투입을 제공하기 위하여 시시각각으로 변화하는 능력으로 묘사된다. 이 학교의 사회적 구조는 단단하게 짜여 있으나 그 역할은 온정보다는 보호에 가깝다.

셋째, 카바레 문화(cabaret culture)의 학교는 써비스, 쇼, 연회, 발레 등과 같이 표현할 수 있다. 교장은 예식의 지휘자, 줄타기 곡예사, 연기감독 등으로 간주된다. 이 문화에서 관계는 공연과 청중의 반응에 집중된다. 명지휘자의 주의깊은 감독하에 수행되는 교수의 예술적이고 지적인 질에 대하여 커다란 긍지를 가진다.

넷째, 공포 문화(horrors culture)의 학교는 전쟁지역이나 혁명 특성을 가진 예상할 수 없는 긴장으로 가득찬 악몽으로 묘사될 수 있다. 다음에는 누구의 머리가 흔들리게 될지 사람들은 전혀 모른다. 교사들은 그들의 학교를 폐쇄된 상자 혹은 형무소라고 표현한다. 이러한 학교의 교사들은 고립된 생활을 하고 사회적 활동이 거의 없다. 직원간에 비난이 보편적이며, 친밀성은 사라져 버린 것 같다. 이 문화는 냉냉하고 적대적이며 과대망상적이다.

다. 학교조직풍토

학교조직풍토(school organizational climate)란 학교의 성격적 특성으로 학교조직 변인과 인간 변인 그리고 주변환경 변인의 상호작용에 의하여 조성되는 사회심리적 분위기라 할 수 있다.

학교조직풍토에 대한 과학적 연구로는 핼핀(A. W. Halpin)과 크로프트(D. B. Croft)의 조직풍토기술척도(OCDQ: Organizational Climate Description Questionnaire)가 대표적이다. 조직풍토기술척도는 학교조직풍토의 형성요인을 교사 집단의 특성과 교장의 행동 특성으로 2원화하여 구분하고 있으며, 이 두 차원을 다시 각각 4개의 하위 요인으로 세분하였다. 이들은 학교조직풍토의 해석을 위해 개방성과 폐쇄성의 연속성(open-closed continuum) 개념을 적용하여, 연속성에 따라 개방성(openness) 경향에 있는 학교풍토를 민주적이며 발전적이라 하였고, 폐쇄성(closeness) 경향에 있는 학교풍토를 기능적으로 고착되어 전제적이라고 하였다. 그들은 이렇게 측정된 조직풍토기술척도로 학교의 풍토를 개방적 풍토, 자율적 풍토, 통제적 풍토, 친교적 풍토, 간섭적 풍토, 폐쇄적 풍토의 여섯 가지 유형으로 분류하였다. 그들이 정리한 학교조직풍토 6개 유형을 정리하면 다음과 같다.

첫째, 개방적 풍토(open climate)는 교사들이 최상의 사기를 유지하는 상태이며, 학교장은 융통성을 가지고 매사에 임하여 교사들 스스로 협업하여 일할 수 있게 하며, 교사들은 과업에 대한 성취감을 갖고 어려움과 좌절을 극복하는 데 충분한 자극과 지지를 받는다. 교사들은 과업을 완수하고 그 공동체를 활기 있게 유지하기 위한 요인들에 대해 주인의식을 지닌다.

   둘째, 자율적 풍토(autonomous climate)는 교장이 교사들 스스로 상호 교류활동을 하도록 구조를 조성해주고 교사들이 욕구 만족을 위해 학교 조직 내에서 스스로 방법을 찾도록 해주는, 거의 완벽한 자유보장적 풍토이다. 업무수행보다는 사회적 욕구만족에 비중을 두며, 높은 친밀성이 개방적 풍토에 비해 특히 주목된다. 교장은 열심히 일하는 모범을 스스로 보여줌으로써 학교를 위한 추진력을 마련해 준다. 교장은 행정력을 유지하고 교사들 개인의 복지와 이익을 위해서 적극적인 노력을 기울인다. 그러나 개방적 풍토에 비해 교장의 행정상 활동 범위는 제한된다.

   셋째, 통제적 풍토(controlled climate)는 과업을 지나치게 중시하고 교사들의 인화적 관계 및 욕구를 멀리한다. 그럼에도 불구하고 사기는 평균보다 높은 특징을 지닌다. 낮은 자유방임, 높은 장애, 낮은 친밀성 등이 학교 조직의 특성으로, 교사는 전적으로 업무에 몰입되어 구성원들간에 동료의식이 거의 없다. 이런 풍토에서의 만족감은 과업에 대한 성취에서 오는 것이 대부분이다. 교장의 행동은 고압적이고 권위적이며, 지배적이다. 학교조직 내에서 융통성은 거의 찾아볼 수 없으며, 모든 것을 교장 중심대로 해나간다. 높은 초월적 군림, 높은 생산성의 결과가 이 풍토의 특징이다.

   넷째, 친교적 풍토(familiar climate)는 교장과 교사들의 우호적인 태도를 나타내는 점이 특징이다. 학교 조직내 욕구 만족은 매우 우수하나 주어진 목표 달성을 위한 조직의 활동에 대한 지시와 관리는 소홀한 풍토이다. 교사들은 자유방임상태고 업무의 성과가 정한 기준에 비해서는 적다. 이러한 성과는, 교장이 교사들의 업무를 지시하는 데 있어 거의 간섭을 하지 않기 때문이다.

   다섯째, 간섭적 풍토(paternal climate)는 교사들의 인화적 욕구를 만족시키고 조율하는 데 있어 교장의 비효과적인 행동이 특징인 풍토라 할 수 있다. 교사들은 협조하지 않으며 과업 성취나 인화적 욕구 충족면에서 불만족하다. 교장은 공정성이 결여되어 있으며 자기만이 잘할 수 있고 잘 알고 있는 것으로 여기고 있으며, 교사들에게 과업을 강요함으로써 자신의 만족을 충족한다.

   여섯째, 폐쇄적 풍토(closed climate)는 과업의 성취와 사회적 욕구에 대한 충족이 모두 불만족한 상태의 풍토이다. 교장은 교사들을 이끌어가는 데 있어서 비효과적이고 비능률적이며 교사들의 복지와 이익을 등한시한다. 이 풍토는 6개의 풍토 중에서 가장 비효과적이고 부족한 학교풍토 유형이다. 즉 교장이 교사의 업무를 지도할 수 있는 능력을 지니고 있지 못하며 자신의 권리와 이익만을 위하여 교사들의 활동을 감정적으로 통제하고, 교사들 상호 의사소통의 자유로운 활동을 거부하고 비협조적인 분위기를 조성하는 분위기의 학교풍토이다.

   라. 학교조직효과

   학교조직효과(school organizational effectiveness)에 대한 학자, 행정가, 실천가 등의 접근방법과 평가기준이 다르기 때문에 일의적으로 정의하기 힘들다. 단지 조직효과성에 관한 접근방법과 평가기준을 통해 다양하게 개념지어질 뿐이다.
   조직효과성을 측정하기 위한 일반적인 접근모형은 다음과 같다.

첫째, 목표 모형(goal model)과 기능 모형(functional model)은 조직효과성에 대한 전통적 접근방법이다. 이 모형은 조직을 목표달성을 위한 장치 또는 도구로 보는 것이며, 조직의 목표를 조직이 실현하고자 노력하는 바람직한 상태로 본다. 그러므로 조직의 효과성은 조직이 그 목표를 실현하는 정도로 정의한다. 특히, 목표의 수준에 따라 공식적 목표 모형과 실행적 목표 모형으로 구분하고 있으며 실행적 목표로 인해 목표 모형은 기능적 접근(functional approach)과 함께 논의된다.

둘째, 체제자원 모형(system-resource model)은 조직을 하나의 개방체제로 보고, 조직효과성을 조직이 환경과의 협상과정에서 유리한 위치를 차지하고 조직이 필요로 하는 가치로운 자원을 획득할 수 있는 능력으로 보는 견해다. 즉, 체제자원모형에서의 조직효과성은 희소하고 가치 있는 자원의 획득에 있어서 그 환경을 개척하는 절대적 또는 상대적 능력에 반영된 협상지위(bargaining position)라고 본다.

셋째, 과정 모형(process model)은 조직효과성을 결과로 보지 않고 과정으로 보는 견해이다. 즉, 투입-전환-산출의 개방체제모형에서 전환영역의 내적 조직상태를 조직효과성의 기준으로 보려는 접근방법이다. 따라서 조직의 전환기능이 좋을수록 목표와 적정화가 이루어지며 산출의 질이 향상되고 전환과정에서의 소비가 적어져 조직효과성을 높인다는 것이다.

넷째, 참여자만족 모형(participant-satisfaction model)은 조직이 참여자의 욕구를 균형적으로 충족시켜 주는 정도를 조직효과성의 기준으로 보는 견해이다. 조직 참여자의 행태적, 태도적 특성이 조직효과성을 가장 정확하게 측정할 수 있는 기준이 된다는데서 제시되었다. 즉, 조직의 목표는 그 목표추구가 참여자에게 이익이 돌아가는 경우에만 중요하다는 것이다.

다섯째, 통합 모형(integrative model)은 조직을 개방체제로 보아 투입-전환-산출의 전체 영역을 환경적 상황과 관련시켜 평가하려는 견해이다. 조직의 목적은 외적인 환경, 조직 내적인 구성원의 특성과 조직이 갖고 있는 제반 여건을 고려하여 설정된다. 이러한 이유로 특정한 측면만을 강조하여 조직효과성을 측정하기는 어려운 것이다. 따라서 이 접근방법은 환경적 상황에서 조직활동 전체 영역을 평가대상으로 한다.

학교조직효과성의 다양한 측정기준은 관련된 대표적인 연구들을 통해 살펴볼 수 있다. 미스켈(C. G. Miskel), 페벌리(R. Fevurly), 스튜어트(J. Stewart)는 학교의 생산성, 적응성, 융통성, 교직원의 충성심, 직무만족을 측정기준으로 제시하였다. 미스켈(C. G. Miskel), 맥도날드(D. McDonald), 블룸(Bloom)은 지각된 조직 효과성, 교사의 직무만족, 학교에 대한 학생의 태도 등을 학교효과성 변수로 보았다. 카메론(K. Cameron)은 학생의 교육적 만족도, 학생의 학문적 발달, 학생의 직업교육적 발달, 학생의 인간적 발달, 교수와 행정가의 직무만족도, 교수들의 전문적 성장과 질, 조직의 개방성과 지역사회교류, 환경에서의 자원획득능력, 조직건강 등의 9개 변수로 보았다. 호이(W. K. Hoy)와 미스켈(C. G. Miskel)은 학업성취, 직무만족, 지각된 조직효과성을 학교조직효과성을 판단하는 측정기준으로 정의하였다.

3. 동기부여이론

동기(motive)란 어떠한 목표를 추구하는 행동을 하게 하는 상태로, 이러한 상태로 되는 것 또는 이러한 상태를 가져오게 하는 것을 동기부여(motivation)라고 한다. 동기부여이론은 어떠한 요인이 동기를 부여하는가와 관련한 **내용이론(content theory)**과 어떠한 과정을 통해서 동기가 발생하는가에 관한 **과정이론(process theory)**으로 구분된다.

가. 내용이론

1) 욕구계층이론(needs hierarchy theory)

매슬로우(Maslow)는 인간의 욕구를 강도에 따라 1단계에서 5단계로 나누고 있다. 1단계는 생리적 욕구(phychological needs), 2단계는 안전의 욕구(safety and security needs), 3단계는 소속감과 애정의 욕구(belonging, love, and social activity needs), 4단계는 존경의 욕구(esteem needs), 5단계는 자아실현의 욕구(self actualization needs)로 이전 단계의 욕구가 충족되면 다음 단계의 욕구를 추구하게 된다는 이론이다.

2) ERG 이론

앨더퍼(Alderfer)는 매슬로우의 5단계 욕구를 비판하며, 존재욕구(E : existence needs), 관계욕구(R : relatedness needs), 성장욕구(G : growth needs)로 3단계로 재정리하여 그 차이를 제시하였다. 우선, 매슬로우의 경우 만족-진행 접근법(satisfaction-progresson approach)인데 반해, 앨더퍼의 ERG이론은 좌절-퇴행 접근법(frustration-regression approach)으로 상위수준의 욕구가 충족되지 않을 때 하위수준의 욕구가 커지는 상황으로 변화한다는 것이다. 또한 욕구계층이론은 하위수준에서 상위수준으로 순차적인 욕구충족인데 반해, ERG이론은 한 가지 이상의 욕구가 동시에 작용할 수 있다는 것이다. 그리고 욕구계층이론과 달리 개인차로 의해 존재욕구, 관계욕구, 성장욕구의 우선순위가 달라질 수 있다는 탄력성을 지니고 있다.

3) X-Y 이론

맥그리거(McGregor)는 인간관에 기반을 두고 인간의 욕구를 두 수준으로 나누어 분석하였다. 저수준 욕구에 기초한 인간에 대한 가정을 X이론, 고수준 욕구에 기초한 인간에 대한 가정을 Y이론으로 설명하였다. X이론은 인간이 본질적으로 일하기를 싫어하고 책임지기보다는 지시받기를 좋아하기 때문에 강제적으로 통제하고 지시하며 벌로써 다스려야 한다는 것이다. 반면 Y이론은 인간은 적절하게 동기부여가 되면 과업에 자율적일 수 있고 창의적일 수 있어 개개인의 자율적 근무의욕과 동기를 유인해야 한다는 것이다.

4) 동기-위생 이론(motivation-hygiene theory)

허즈버그(Herzberg)는 인간에게는 상호독립적인 두 종류의 서로 다른 욕구로서 만족과 불만족 요인의 범주가 있어 이것이 인간의 행동에 각각 다른 방법으로 영향을 미친다는 것이다. 만족 요인은 자신이 하고 있는 일에 만족을 느끼게 되면 그 만족이 일에 동기를 부여한다는 것이고, 불만족 요인은 자신이 하고 있는 일에 불만을 느끼게 되면 자신이 일하고 있는 환경에 대해 관심을 갖게 된다는 것이다. 즉, 만족 요인은 인간을 보다 우수한 업무수행을 하도록 동기부여하는 데 효과적인 것이라 여겨 동기요인(motivators)이라 하였고, 불만족 요인은 업무환경과 관련한 직무불만족을 예방하는 기본적 기능을 담당하고 있기 때문에 위생요인(hygiene)이라 불렀다.

5) 미성숙-성숙 이론(immaturity-maturity theory)

아지리스(Agyris)는 인간의 성숙은 일곱 가지 차원에서 진화를 일으킨다고 하였다. ① 수동적 상태에서 능동적 상태로의 발달, ② 다른 사람에 대한 의존적 상태에서 독립적인 상태로의 발달, ③ 단순한 행동방식에서 다양한 행동방식으로의 발달, ④ 변덕스럽고 천박한 흥미에서 보다 넓고 깊은 흥미로의 발달, ⑤ 단기적인 시간적 전망에서 장기적인 시간적 전망으로의 발달, ⑥ 종속된 상태에서 동등하고 우월한 지위로의 변화, ⑦ 자아에 대한 몰지각에서 자아에 대한 지각 및 자기통제로의 발달 등 나이를 먹어감에 따라 연속선상에서 성숙해가는 것을 일반적인 경향으로 보았다.

6) 관리체제이론

리커트(Likert)는 행동과학적 연구를 통해 조직이 X이론에서 Y이론으로 이행해 가는 것을 돕고, 위생요인의 강화에서 동기요인을 만족시키는 방향으로, 그리고 미성숙한 행동에서 성숙한 행동의 격려 및 개발로 나아가기 위한 조직관리유형을 네 가지 체제로 제시하였다. 체제 1은 과업 지향적이며 고도로 구조화된 권위적 관리 유형(authoritarian management style)이며, 체제 4는 팀워크, 신뢰 등에 기반을 둔 관계 기반 관리 유형(relationships-oriented management style)이다. 체제 2, 3은 두 유형의 중간단계로 X이론과 Y이론에 가깝다.

나. 과정이론

1) 기대 이론(expectancy theory)

블룸(V. H. Vroom)의 기대 이론은 VIE(valence, instrumentality, expectancy)이론이라고도 하며, 인지적 과정(cognitive process)에서 그 개념을 도출하였다. 개인의 어떤 행위에 대한 동기부여의 정도는 그 행위에 의해서 발생할 결과에 대한 매력의 정도(유의성, valence), 일정의 결과를 가져오게 되리라는 주관적 믿음(수단성, instrumentality), 그리고 그 행위를 통해 결과를 획득할 수 있을 것이라는 가능성(기대, expectancy) 요인에 의해 결정된다고 보았다. 즉, 인간은 자신의 행위의 결과로 생긴 개인적 이익이나 예상된 결과의 가치에 대해서 주관적으로 평가하고 난 뒤에 행동하게 된다는 점에서 기대 이론이라 하였다.

2) 공정성 이론(equity theory)

애덤스(J. S. Adams)의 공정성 이론은 균형이론(balance theory) 또는 교환이론(exchange theory)이라고도 한다. 사람들은 자신의 투입(input)과 산출(output)을 자신의 주변 사람과 비교하며 불공정성을 느끼고, 그러한 상태에서 벗어나기 위해 공정성을 추구하는 과정에서 동기유발이 된다는 것이다. 즉, 자신의 투입과 그로 인해 얻어지는 산출의 비율이 다른 사람의 것과 비교하여 동일하다면 조직과 공정한 교환관계가 이루어졌다고 느끼며 공정성에 대한 지각의 만족을 유발하는 것이다. 그러나 동일하지 않다는 불공정성을 느끼게 되면 불쾌감과 긴장이 생겨 어떤 방법으로라도 공정성을 추구하려는 방향으로 노력하게 되는 과정에서 동기유발이 발생된다는 것이다.

3) 귀인 이론(attribution theory)

켈리(H. H. Kelly)의 귀인 이론이란 사람들이 어떤 일에 대해 인과론적 원인 설명을 어떻게 하느냐에 대한 것으로써 어떤 상황의 성공과 실패에 대한 원인 귀착(causal ascription)이라 하였다. 베이너(B. Weiner)에 의하면 노력, 능력, 과제곤란도, 행운 등 네 가지 요소가 행위자 자신에게 어떻게 인지되느냐 하는 것이 성취 상황에 있어서 성공과 실패의 원인이라고 하였다. 헤이더(F. Hcider)는 행동으로 나타나는 결과를 노력, 능력, 영향을 주는 환경을 요인으로 하는 함수로 공식화하여 동기부여의 정도를 파악하고자 하였다. 공통된 원인인 노력, 능력, 과제곤란도, 행운 등의 네 가지 요소는 다시 소재지, 안정성, 통제성 등으로 분류하여 정리하였다. 능력은 내적, 안정적, 통제불가능한 원인, 노력은 내적, 불안정적, 통제가능한 변인, 과제곤란도는 외적, 안정적, 통제불가능한 원인, 행운은 외적, 불안정적, 통제불가능한 변인이다.

4) 자아효능감 이론(self-efficacy theory)

반두라(A. Bandura)에 의해 제기된 자아효능감은 어떤 행동을 자신이 얼마나 성공적으로 수행할 수 있느냐 하는 자신의 능력에 대한 확신을 의미하는 인지적 상태이다. 자아효능감은 효능기대를 증가시키는 자원들에 의해 증가된다고 보고, 그러한 자원으로 성취경험, 대리경험, 언어적 설득, 정서적 각성 등의 네 가지 요인을 제시하였다. 성취경험을 높이는 방법으로는 수행 둔감화, 참여자 모델링, 성취 상황 노출, 자기 지시적 성취 방법 등이 있다. 대리경험을 높이는 방법은 모델을 통한 대리학습과 대리강화를 통한 행동의 변화를 가져오는 것이다. 언어적 설득의 방법은 제안, 권고, 자기지시, 해석적 처치 등이 있다. 정서적 각성은 문제상황 속에서 성공적인 행동 변화를 위해서는 적절한 수준으로 정서적 각성 수준을 조절하여 자아효능감을 높일 수 있다는 것이다.

5) 목표설정이론(goal-setting theory)

로크(E. A. Locke)의 목표설정이론은 어떤 목표를 달성하려는 의도 자체가 기본적으로 동기유발을 하는 힘이 된다는 것이다. 이러한 목표에는 두 가지 차원이 있으며 목표내용(goal content)과 목표강도(goal intensity)로 구분된다. 목표내용은 달성해야 할 결과이며, 목표강도는 목표를 형성하는 데 요구되는 노력, 목표에 부여하는 의미, 목표에 대한 헌신과 몰입이다. 일단 개인이 목표를 정하여 그것을 달성하려고 결심하면 목표구조(goal mechanisms)로서의 노력, 지속성, 방향, 과업전략이 자동적으로 작동하게 된다. 이는 성취와 직무만족이라는 결과를 가져오게 되고 그에 대한 자신의 목표와 목표설정과정에 대한 환류(feedback)를 제공하며 동기를 유발한다는 것이다.

4. 교육법규론

가. 교육과 교육법

교육법 중 가장 상위의 효력을 갖는 법은 헌법이다. 헌법 이외에도 교육에 관한 법률, 국제법규 및 조약, 명령, 조례와 규칙을 비롯하여 관습법, 판례법 및 조리도 교육법의 법원을 이룬다. 위계별로 구성된 교육법에 대해 살펴보면 다음과 같다.

1) 헌법

헌법의 구성은 1장 총강, 2장 국민의 권리와 의무, 3장 국회, 4장 정부, 5장 법원, 6장 헌법재판소, 7장 선거관리, 8장 지방자치, 9장 경제, 10장 헌법개정으로 구성되어 있다.

헌법 제31조는 가장 직접적인 교육에 관한 규정으로서, 제1항부터 제6항으로 규정하고 있다. ① 교육 기회의 균등한 보장, ② 의무교육의 실시와 ③ 의무교육의 무상, ④ 교육의 자주성, 전문성, 정치적 중립성과 대학의 자율성 보장, ⑤ 평생교육의 진흥, ⑥ 교육제도, 교원지위의 법정주의를 선언하고 있다.

헌법 제31조 이외에도 헌법에 제시되어 있는 다른 조항으로, 기본적 인권을 확인하고 있는 제10조, 법 앞의 평등과 차별금지를 규정한 제11조, 신체의 자유를 규정한 제12조, 사생활의 자유에 관한 제17조, 종교의 자유에 관한 제20조, 언론, 출판, 집회, 결사의 자유를 규정한 제21조, 학문과 예술의 자유에 관한 제22조, 공무담임권을 보장하는 제25조, 근로자의 권리에 관한 제33조 등이 교육과 밀접히 관련되어 있다.

2) 법률

교육기본법은 헌법상의 교육조항을 기본정신으로 하는 교육제도에 관한 기본법인 동시에 교육행정의 기본지침으로 되어 왔다. 특히, 교육기본법은 모든 교육관계법령의 기본이 될 수 있는 법률로서 교육에 관한 국민의 권리, 의무와 국가 및 지방자치단체의 책임을 정하고 교육 제도와 그 운영에 관한 기본적 사항을 규정함을 목적으로 하고 있다. 교육기본법은 1장 총칙, 2장 교육당사자, 3장 교육의 진흥으로 구성되어 있다.

초·중등교육법은 유아교육 및 초중등교육에 관한 사항을 규정함을 목적으로 제정되었다. 초중등교육법은 1장 총칙, 2장 의무교육, 3장 학생과 교직원, 4장 학교, 5장 보칙 및 벌칙으로 구성되어 있다.

고등교육법은 교육기본법 제9조의 규정에 따라 고등교육에 관한 사항을 규정함을 목적으로 규정되었다. 고등교육법은 1장 총칙, 2장 학생과 교직원, 3장 학교, 4장 보칙과 벌칙으로 구성되어 있다.

지방교육자치에 관한 법률은 교육의 자주성 및 전문성과 지방교육의 특수성을 살리기 위하여 지방자치단체의 교육, 과학, 예술, 체육, 기타 학예에 관한 사무를 관장하는 기관의 설치와 그 조직 및 운영 등에 관한 사항을 규정함으로써 지방교육의 발전에 이바지함을 목적으로 한다. 이 법률은 1장 총칙, 2장 삭제(2016.12.13.), 3장 교육감, 4장 교육재정, 5장 지방교육에 관한 협의, 6장 교육감선거, 7장 삭제(2016.12.13.), 8장 벌칙으로 구성되어 있다.

기타 교육관련 법령으로 교육법 관련 시행령(초중등교육법 시행령, 고등교육법 시행령, 지방교육자치에 관한 법률 시행령), 교육인사에 관한 법령(교육공무원법, 교원지위 향상을 위한 특별법, 교육공무원 승진규정, 교원자격검정령, 공무원보수규정, 공무원수당 등에 관한 규정, 교원소청에 관한 규정 등), 학사에 관한 법령(대학설립 운영규정 및 동 시행규칙, 고등학교 이하 각급 학교설립운영규정 등), 사학에 관한 법령(사립학교법 및 동 시행령, 고등학교 이하 각급 학교설립운영규정, 한국사학진흥재단법 등), 과학, 사회, 체육 법령(산업교육진흥법, 과학교육진흥법, 평생교육법, 학원의 설립 운영에 관한 법률, 유아교육진흥법, 학교보건법 등), 재무, 회계 법령(지방교육재정 교부금법, 지방교육 양여금법, 지방교육 양여금관리 특별회계법, 교육세법, 예산회계법 등), 문서, 사무에 관한 법령(사무관리규정, 행정감사규정, 민원사무처리규정, 정부공문서규정, 공문서보관보존규정, 보안업무규정 등) 등이 있다.

3) 국제법규 및 조약

국제법규 및 조약은 국제사회를 지배하는 규범이며, 국제법 주체간의 문서에 의한 합의이다. 이들은 헌법 제6조 제1항에 의해 국내법과 같은 효력을 지닌다. 교육과 관련된 국제법규나 조약으로는, 세계인권선언(1948.12.10.), 「경제적·사회적 및 문화적 권리에 관한 국제규약」(A규약) 및 「시민적 및 정치적 권리에 관한 국제규약」(B규약) 등이 있다. 학습자의 인권 및 권리와 관련하여 중요한 의미를 지닌 조약으로는 「아동의 권리에 관한 협약」이 있다.

4) 명령

명령은 행정관청이 제정하는 법으로서 정부 부문에서 대통령령, 총리령, 부령(헌법 제75조 및 제95조)이 있고, 국회의 국회규칙(헌법 제64조 제1항), 대법원의 대법원규칙(헌법 제108조)이 있다. 명령은 법률에서 구체적으로 범위를 정하여 위임한 사항에 대해 규정하는 위임명령과, 법률을 집행하기 위해 필요한 사항을 정하는 집행명령으로 분류한다.

5) 조례와 규칙

조례 및 규칙은 지방자치단체가 법령의 범위 안에서 제정하는 자치에 관한 규정(헌법 제117조 제1항)으로서, 당해 지방자치단체의 지역 안에서만 효력을 갖는다. 지방의회가 제정하는 조례와 그 범위 안에서 지방자치단체의 집행기관이 제정하는 규칙은 법률이나 명령보다 하위의 효력을 갖는다. 교육에 관한 조례는 「지방교육자치에 관한 법률」 제14조 제3항에 따라 시·도 의회의 의결을 거쳐 교육감이 공포한다. 교육에 관한 규칙은 「지방교육자치에 관한 법률」 제25조 제1항에 따라 교육규칙을 제정한다.

6) 관습법, 판례법, 조리

관습법, 판례법, 조리는 법 제정 권한이 있는 기관이 일정한 절차를 통해 문장의 형태로 표현한 성문법이 아닌 불문법으로서 성문법이 없는 경우에 법으로서 효력을 가질 수 있다. 관습법은 사회에서 일정한 관행이 반복되면서 사람들이 법적 확신을 갖게 됨으로써 성립되는 규범이다. 판례법은 법원이 일정한 법적 사건에 대하여 동일한 원칙이나 기준을 적용하거나 같은 방식으로 법령을 해석함으로써 법적 가치를 갖게 된 규범이다. 조리는 사물의 이치나 인간의 기본적인 도리에 비추어 성립할 수 있는 규범으로서, 「민법」 제1조 "민사에 관하여 법률에 규정이 없으면 관습법에 의하고 관습법에 없으면 조리에 의한다."라고 규정하여 조리의 보충적 효력을 인정하고 있다. 체벌의 허용범위와 관련해서 '사회상규'에 위배되지 아니하는 행위는 벌하지 아니하고, 교원징계처분이 '사회통념'상 지나치게 가혹한 경우에는 재량권 남용에 해당한다고 보는데, 사회상규나 사회통념 모두 관습이나 조리에 연결되는 개념이다.

나. 교사의 교육권

교사의 교육권은 **헌법 제31조 제6항**에서 "(생략)교원의 지위에 관한 기본적인 사항은 법률로 정한다."는 교원 지위의 법정주의에 대해 규정하고 있으며, **교육기본법 제14조**에서는 "학교 교육에서 교원의 전문성은 존중되며 교원의 경제적·사회적 지위는 우대되고 그 신분은 보장된다."고 명시하고 있으며, **교육공무원법 제43조 제1항**에는 "교권은 존중되어야 하며, 교원은 그 전문적 지위나 신분에 영향을 미치는 부당한 간섭을 받지 아니한다.", **동법 제43조 제2항과 제3항**에서는 "형의 선고, 징계 처분 또는 교육공무원법에 정하는 사유에 의하지 아니하고는 그 의사에 반하여 휴직, 강임 또는 면직을 당하지 아니한다."와 "교육공무원은 권고에 의하여 사직을 당하지 아니한다."고 명시하였다. **초·중등교육법 제20조**에서는 "교사는 법령이 정하는 바에 따라 학생 또는 원아를 지도한다.", **고등교육법 제15조**에서는 "(대학)교원은 학생을 교육·지도하고 학문을 연구하되, 학문 연구만을 전담할 수 있다."고 각각 규정하여 법률적으로 교원의 지위(교육권)를 보장하고 있다.

반면 교사의 교육권에 대해 제한하고 있는 규정을 보면, **헌법 제27조 제2항**에 "국민의 모든 자유와 권리는 국가안전보장·질서유지 또는 공공복리를 위하여 필요한 경우에 한하여 법률로써 제한할 수 있으며, 제한하는 경우에도 자유와 권리의 본질적인 내용을 침해할 수 없다."고 제한하고 있다. **교육기본법 제12조 제1항 및 제2항**에도 "학생을 포함한 학습자의 기본적 인권을 학교 교육 또는 사회 교육의 과정에서 존중하고 보호하여야 하고 교육내용·교육방법·교재가 학습자의 인격을 존중하고 개성을 중시하여 학습자의 능력이 최대한으로 발휘될 수 있도록 강구되어야 한다."고 명시하여 교사의 교육권이 학생의 인권을 존중하는 방향으로 행사되어야 함을 밝히고 있다.

교사의 교육권은 적극적 권리와 소극적 권리로 구분할 수 있다. 적극적 권리는 학교라는 정해진 공간에서의 수업 및 생활지도 등 학생과의 상호 관계에서 발생하는 권리로써, 교육과정 편성권, 교재 채택·선정권, 교육내용·방법 결정권, 성적 평가권, 학생 징계권 등이 있다. 소극적 권리는 주로 교사의 신분상의 권리를 의미하는 것으로, 신분 및 직위보유권, 직무집행권, 재심청구 및 행정쟁송권, 의사에 반한 신분조치를 당하지 아니할 권리, 권고사직을 당하지 않을 권리, 불체포특권, 교원의 정치활동 등이 있다.

다. 학생의 학습권

학생의 학습권은 **헌법 제31조 제1항**에 "모든 국민은 능력에 따라 균등하게 교육을 받을 권리를 가진다."라고 명시되어 있다. **교육기본법 제3조**에는 "모든 국민은 평생에 걸쳐 학습하고, 능력과 적성에 따라 교육 받을 권리를 가진다."고 명시되어 있으며, **동법 제4조**에는 "모든 국민은 성별, 종교, 신념, 사회적 신분, 경제적 지위 또는 신체적 조건 등을 이유로 교육에 있어서 차별을 받지 아니한다."고 하여 교육 기회 균등을 명시하고 있다. **동법 제12조 제1항과 제2항**에서는 "학생을 포함한 학습자의 기본적 인권은 학교교육 또는 사회교육의 과정에서 존중되고 보호된다. 교육내용, 교육방법, 교재 및 교육시설은 학습자의 인격을 존중하고 개성을 중시하여 학습자의 능력이 최대한 발휘될 수 있도록 강구되어야 한다."고 하여 학습자의 기본적인 인권 존중과 학습자 개개인의 특성을 살리는 교육을 강조하고 있다. **초·중등교육법 제18조 제4항**은 "학교의 설립자·경영자와 학교의 장은 헌법과 국제 인권조약에 명시된 학생의 인권을 보장하여야 한다."고 명시하여 학습권 보장에 대해 직접적으로 규정하고 있다. **학습권의 국제법상 근거**는 세계인권선언(Universal Declaration of Human Rights) 제26조, 아동권리협약(United Nations Convention on the Right of the Child) 제28조, 아동권리선언(Declaration on the Rights of Children) 제7조에서도 찾아볼 수 있다.

학생의 학습권은 헌법 제31조 제1항에 제시된 교육의 기회 균등에 대한 해석에 있어, 능력 이외에 성별·종교·사회적 신분 등에 의해 교육을 받을 기회를 차별받지 아니하는 자유권적 측면(소극적 평등권설)과, 모든 국민이 균등하게 교육을 받을 수 있도록 교육 시설을 설치·운용하고 장학 정책을 시행하는 등 교육의 외적 조건 정비를 요구할 수 있는 사회권적 측면(적극적 평등권설)으로 구분하기도 한다. 또한, 자유롭게 교육을 받을 권리, 균등하게 교육을 받을 권리, 신체와 표현의 자유로 설명하기도 한다.

5. 교육재정론

가. 교육재정과 교육예산

1) 교육재정

교육재정(educational finance)이란 국가나 지방자치단체가 교육활동의 운영을 위하여 경비를 확보하고 지출하는 공경제활동이라 할 수 있다. 재정(public finance)이란 국가가 지방자치단체가 그 자신을 유지·발전하는데 필요한 재화를 획득하고, 이를 관리하는 작용을 통칭하는 것이다. 따라서 재정을 국가의 공경제활동이라고 한다.

재정은 민간 경제활동과 달리 강제성, 공공성, 양출제입, 존속기간의 영속성이라는 성격을 지니고 있다. 강제성이란 재정의 경제활동 주체가 국가나 지방자치단체이기 때문에 강력한 공권력을 가지고 있다는 것이고, 국민 전체의 공공복지, 즉 공익을 위한 것이라는 점에서 공공성을 지니고 있다. 또한 민간 개별경제활동이 수입을 기준으로 활동계획을 세우는 양입제출(量入制出)과는 달리, 추진해야 할 활동계획을 기준으로 수입을 정하는 양출제입(量出制入)의 원칙을 적용한다. 그리고 민간의 개별경제활동과는 달리 정부 기관이 존재하는 한 존속기간의 영속성이 보장된다는 것이다.

교육재정은 재정과 공통점을 지니고 있다. 이것은 교육재정이 국가재정의 일부분이며, 국가재정 중 교육활동에 관한 재정이기 때문에 그 근본적 성격을 같다고 할 수 있다. 따라서 교육재정이 공경제활동이라 함은 일반재정의 성격에서 본 공공성, 강제성, 양출제입의 성격을 그대로 지닌 경제활동이라는 것이다. 단, 교육재정이 교육활동의 지원을 목적으로 하는 수단이라 함은, 교육재정이 교원이나 학습활동 등을 위해 존재하고, 교수나 학습의 목표를 달성하기 위한 수단으로 사용되는 것이지, 교육재정 자체가 목적은 아니라는 뜻이다.

교육재정은 교육행정을 위한 재정적 지원을 하는 것으로, 교육활동 그 자체에 대하여 교육행정이 보다 직접적인 관계를 갖고 있다면 교육재정은 부차적 내지 간접적 관계를 갖고 있다고 할 수 있다. 따라서 이론적인 면에서는 교육행정의 실제가 교육재정의 규모를 결정하지만, 현실적인 면에서는 교육재정의 규모가 교육행정의 실제를 규제한다고 볼 수도 있다.

2) 교육예산

교육예산(educational budget)은 일정기간 교육활동 계획을 수행해 나가는 데 필요한 수입과 지출의 체계적인 예정적 계획표이다. 교육예산은 몇 가지 특성을 지니고 있다. 첫째, 교육활동 계획의 기초 내지 기준이 된다. 즉 교육활동계획은 교육예산의 수입과 지출을 기초로 작성되어야 한다. 둘째, 학생들의 복리증진과 교육적 환경개선에 우선적으로 사용된다. 셋째, 교육활동에 대해 봉사적 내지는 지원적 성격을 지닌다. 넷째, 교육예산은 언제, 어떻게, 어디에, 얼마나 지출할 것인지 월별, 분기별로 세밀하게 작성된다.

예산의 종류는 성격 및 시기에 따라 몇 가지로 구분된다. 일반적 성격에 따라 구분할 경우 일반회계예산과 특별회계예산으로 구분한다. 일반회계예산은 국가의 기본적 내지 중요한 활동에 관한 세입과 세출을 총합하여 관리하는 예산이다. 그 지출은 공공사업, 사회복지, 교육, 국방 등 각종 일반행정활동에 대한 것이며, 그 수입의 대부분은 조세수입니다. 특별회계예산은 국가의 회계 중 특정한 세입으로서 특정한 세출에 충당하는 것이며 일반회계의 세입세출과 구분하여 경리하는 회계이다. 국회 예산안 제출 시기 및 수정과 관련해서는 본예산, 수정예산, 추가예산, 경정예산, 준예산으로 구분할 수 있다. 본예산은 정부 회계연도 개시90일 전까지 예산안을 국회에 제출하게 되어 있는데 이것이 본예산이다. 수정예산이란 정부가 예산안을 국회에 제출한 후 의결을 거쳐 예산안이 성립되기 전에 본예산을 수정하기 위해 제출하는 예산안을 말한다. 추가예산이란 예산안이 국회를 통화하여 성립된 후에 예산을 보정·추가하라 필요가 있을 때 편성하여 제출하는 예산안이다. 경정예산은 예산안이 성립후 그 지출한도액 내에서 변경을 가하는 예산안이다. 준예산은 예산이 회계연도 개시일까지 국회를 통과하여 의결 성립되지 않았을 경우 전년도 예산에 준하여 집행하는 예산안을 말한다.

나. 교육경비와 교육수입

1) 교육경비

교육경비(educational expenditures)란 국가나 지방자치단체가 교육을 위하여 지출하는 비용을 말한다. 교육경비는 일반적으로 공교육비만을 의미하나 넓은 의미로는 사교육비까지 포함한다. 공교육비는 지방교육자치에 관한 법률에 규정된 각급 학교의 설치운영에 필요한 경비, 사회교육에 필요한 경비, 그리고 기타 각종 교육기관 및 기타 제기관의 교육에 필요한 경비를 포함한다. 사교육비는 학부형이 부담하는 학생의 숙식비, 피복비, 학용품대, 교과서, 참고서대 등이다.

교육경비는 교육목적과의 관련성 정도에 따라 직접교육비(direct cost)와 간접교육비(indirect cost)로 나뉜다. 직접교육비는 교육목적의 달성을 위하여 교육활동에 직접적으로 투입되는 경비로 공교육비와 사교육비가 모두 포함된다. 간접교육비는 교육을 받음으로써 교육기간 중에 취업할 수 없기 때문에 발생하는 기회비용(opportunity cost)을 의미한다.

교육경비의 성격은 다음과 같다. 첫째, 고도의 공공성. 교육은 국가 사회의 존속과 발전의 수단이 되며 국민 전체의 복지를 증진시킨다는 점에서 고도의 공공성을 지닌다. 둘째, 비긴요성. 교육경비는 국방비, 경찰비, 위생비 등과 비교하여 상대적으로 비긴요성을 띤다. 셋째, 비생산성. 교육경비가 비생산적이라는 것은 교육활동이 다른 산업활동에서처럼 직접적인 산출을 가져오는 것이 아니라 그 효과가 무형적이고 측정하기 어렵다는 데서 기인한다. 넷째, 팽창성. 교육경비는 다른 경비에 비해 계속적인 팽창성을 갖고 있다. 취학인구는 감소하고 있지만 평생교육과 고령화 등으로 인한 취학년한의 연장, 사회교육의 확충, 학교교육내용의 복잡화와 다양화, 학교시설 및 설비의 개선, 교원자격의 향상, 고학력화로 인한 교육력의 향상, 생활의 향상 등 더 질 높은 교육에 대한 욕구 충족을 위해 교육경비가 팽창한다고 할 수 있다.

2) 교육수입

교육수입(educational revenues)이란 국가나 지방자치단체가 확정된 교육경비를 조달하기 위해 그 재원(財源)으로 삼는 제수입을 말한다. 일반적으로 교육수입은 일반재정으로부터 배당받는 간접적인 성격을 가진 것과, 수업료, 사용료 등과 같은 직접적인 성격을 가진 것으로 구별할 수 있다.

교육수입의 재원은 지방교육자치에 관한 법률 제36조에 규정되어 있다. 즉, 교육·학예에 관한 경비는 다음 각 호의 재원으로 충당한다고 되어 있다. 첫째, 교육에 관한 특별부과금·수수료 및 사용료. 특별부과금은 지방자치단체의 일반부과금과는 달리 특별한 목적사업을 수행하기 위하여 그 지방민에게 부과하는 부담금으로 지방세법에 근거를 두어 부과한다. 수수료는 개인을 위한 사무에 대한 대가이며, 사용료는 공공시설의 사용에 대한 대가이다. 둘째, 지방교육재정교부금. 지방교육재정교부금은 지방교육재정에서 가장 큰 재원이 되고 있다. 이는 지방자치단체가 교육기관 및 교육행정기관을 설치 경영함에 필요한 재원을 국고에서 교부하여 교육의 균형 있는 발전을 도모하려는 것으로 보통교부금과 특별교부금으로 나뉘며 그 규모와 용도는 지방교육재정교부금법 제3조, 동법 제5조에 규정되어 있다. 셋째, 해당지방자치단체의 일반회계로부터의 전입금. 지방자치단체의 교육재정은 원칙적으로 당해 자치단체의 수입으로 충당해야 할 지방자치의 원칙에도 부합되며 교육의 자주성 유지에도 기여할 수 있으나 현재의 지방행정제도의 운영실태를 보면 지방자치단체의 일반회계로부터의 전입금은 몇 개의 지방자치단체를 제외하고는 미미한 상태이다. 넷째, 유아교육지원특별회계에 따른 전입금. 유아교육지원특별회계법에서는 유아교육 및 보육을 통합한 공통의 교육·보육과정 정책의 안정적인 추진을 위하여 유아교육지원특별회계를 설치하고, 교육세 등에서의 일정 비율을 확보하여 운영한다는 사항을 규정하고 있다. 다섯째, 기타 수입으로서 교육·학예에 속하는 수입은 기부금, 과년도수입, 이월금, 기타 잡수입 등을 말한다.

다. 교육예산의 운용과정

1) 교육예산의 편성

교육예산의 편성은 중앙정부와 지방교육자치단체로 구분된다. 중앙정부는 예산회계법 및 동법 시행령에 의거하여 교육예산을 편성하고, 지방교육자치단체는 지방교육자치에 관한 법률과 시행령에 의하여 교육예산을 편성한다.

중앙정부의 교육예산 편성과정은 다음과 같다. 첫째, 예산안 편성지침의 시달. 교육부는 매년 전년도의 2월 말일까지 주요 사업에 대한 사업계획서를 기획재정부에 제출한다. 기획재정부는 매년 전년도 3월 말일까지 국회 심의를 거쳐 대통령의 승인을 얻은 예산안 편성지침을 교육부에 시달한다. 둘째, 예산요구서 작성. 교육부 산하기관에서는 편성지침에 따라 자체 예산요구서를 작성하여 교육부에 제출하고 교육부에서는 5월 말일까지 기획재정부에 제출한다. 셋째, 예산사정. 기획재정부에서는 6월에서 8월까지 세입세출을 고려한 조정행위로서의 예산사정 행위를 통해 정부의 종합적 예산안이 작성된다. 넷째, 정부의 예산결정. 작성된 정부 예산안은 국무회의 심의를 거쳐 대통령 승인을 얻어 예산안이 확정된다. 정부는 이것을 회계연도 90일 전에 국회에 제출해야 한다.

2) 교육예산의 심의

국회의 교육예산 심의과정은 다음과 같다. 첫째, 시정연설. 예산안이 국회에 제출되면 본회의에서 대통령의 시정연설과 기획재정부장관의 예산안 제안설명이 행해진다. 대통령의 시정연설은 예산안이 작성된 경제적 배경과 그 속에 내포되어 있는 재정경제정책에 대하여 설명하는 것으로 매우 중요한 의미를 지니고 있다. 둘째, 예비심사. 국회 상임위원회인 교육위원회에서는 교육부장관의 신년도 시정방침과 이를 실천하기 위한 예산의 대체적인 내용에 관한 설명을 듣고, 그에 대한 질의와 각 부별 심의, 계수조정을 한다. 셋째, 종합심사. 교육위원회의 예비심사가 끝나면 예산결산위원회의 종합심사에 회부된다. 여기서는 기획재정부장관의 예산안 설명과 위원들의 종합정책질의가 이어진다. 이 때는 국무총리를 위시하여 관계장관 모두 참석하여 질의의 성격에 따라 분야별로 답변한다. 넷째, 본회의결. 종합심사가 끝나면 본회의에 상정되어 의결되면 예산이 성립되는 것이다. 국회는 회계연도 개시 30일 전까지 예산안을 의결해야 하는데 만약 법정기일을 넘기고도 신회계년도 개시일까지 본예산이 의결되지 않을 경우에는 준예산에 의하여 예산이 집행된다.

3) 교육예산의 집행

예산 집행과정은 다음과 같다. 첫째, 예산의 배정. 예산안이 결정되면 교육부장관은 예산배정요구서를 기획재정부장관에게 제출한다. 기획재정부는 이를 토대로 4분기별로 예산배정계획을 작성하고, 국무회의의 심의를 거쳐 대통령의 승인을 얻어 교육부장관에게 분기별로 예산을 배정한다. 둘째, 예산의 재배정. 교육부장관은 기획재정부로부터 배정받은 범위 내에서 신하기관에 예산을 재배정한다. 셋째, 지출원인행위. 지출원인행위는 교육부장관과 그 위임을 받은 재무관이 예산배정금액 범위 내에서 법령에 의하여 행한다. 넷째, 지출행위. 지출행위기관은 교육부장관이 임명한 지출관이 되며 재무관에 의한 지출원인행위가 이루어지면 월별 지출한도 범위 내에서 수표를 발행한다. 다섯째, 지급행위. 한국은행은 지출관이 발행한 수표의 제시를 받았을 때 현금을 지불한다.

4) 교육예산의 결산

예산 결산과정은 다음과 같다. 첫째, 출납정리기간. 예산집행의 완결을 위한 수입과 지출의 출납사무의 완결을 기하는 기간을 갖는다. 둘째, 결산서의 조제. 결산심의의 기초자료로서 교육부장관은 결산보고서를 작성하여 2월 말일까지 기획재정부장관에게 제출한다. 기획재정부장관은 정부부처의 결산보고서를 종합하여 다음연도 6월 10일까지 감사원에 송부한다. 셋째, 결산의 심사. 이 과정은 감사원에 의한 결산의 확인과 국회의 결산심의의 두 과정을 거친다. 감사원에 의한 결산의 확인은 결산의 합법성과 적확성에 대한 최종적인 판정을 의미하여, 국회의 결산심의는 상임위원회인 교육위원회의 1차심사와 예산결산위원회의 종합심사 후 본회의에 보고하게 함으로써 결산심의과정을 마치게 된다.

Ⅳ. 교육심리

1. 발달이론

가. 인지발달이론

1) 피아제 - 인지발달이론

피아제(J. Piaget, 1896~1980)는 동화, 조절, 평형의 개념을 사용하여 인간의 인지발달 과정을 설명하였다. **동화(assimilation)란** 새로운 정보 혹은 새로운 경험을 접할 때 새로운 정보와 경험을 이미 자신에게 구성되어 있는 도식에 적용하려는 경향성을 뜻한다. 도식(schema)은 인지발달에서 평형의 욕구가 충족되어 구조화되고 조직화된 상태를 의미한다. 도식은 우리가 환경에서 수많은 정보를 받아들이고 적절히 반응하기 위하여 사용하는 지식의 틀을 의미한다. **조절(accomodation)이란** 새로운 정보 혹은 새로운 경험을 인식하기 위해 기존의 도식을 수정하는 것을 의미한다. 결국, 피아제는 인지발달이란 기존의 도식에 비추어 모순 없는 지식은 동화시키고 기존의 도식에 적절하지 않은 지식은 도식을 변경하는 조절의 과정을 통해 끊임없이 도식을 확장시키는 과정이라고 풀이했다. **평형(equilibrium)이란** 자신의 인지구조를 일정하게 유지하려는 본능적인 경향성을 의미한다. 피아제는 인간의 인지발달 역시 이러한 평형의 기제를 따른다고 하였다. 평형의 원리에 따라 도식이 구성되는 과정을 설명하기 위하여 피아제가 제시하는 개념이 동화와 조절이다.

피아제는 인간의 발달단계가 질적으로 구분되는 여러 단계를 거치면서 진행된다고 하였다. 피아제는 아동 개개인이 각 단계를 통과하는 속도는 다를 수 있지만 이후의 발달 단계로 들어서기 위해서는 반드시 앞의 단계를 통과해야 하며, 어느 단계에서도 몇 단계를 뛰어넘어 발전하는 도약은 없다고 하였다. 피아제가 제안하는 각 발달단계는 다음과 같다.

감각운동기(sensorimotor stage, 0~2세)는 발달의 첫 단계로 아동은 시각·청각 등의 조절감각과 운동 능력에 초점을 둔다. 그들의 사고는 자신의 신체적 행동에 주변 세계가 어떻게 반응하는가에 제한되어 있다. 감각운동기의 아동들은 기억 속에 사물에 대한 어떤 표상도 가지고 있지 않으며 모방력을 발전시키는데, 이 시기에 발전되는 모방력은 이후의 관찰학습을 위한 토대를 형성하는 데 중요한 기능을 한다.

전조작기(preoperation stage, 2~7세)는 아동들이 이 단계를 거치면서 언어의 발달이 급속히 이루어지고 상징적 사고의 발달과 개념 획득 능력에서 빠른 성장을 보인다. 또한 이 단계에서 아동은 다양한 개념을 형성한다. 트럭, 아파트, 나무 등과 같이 물질로 존재하거나 현재 상황과 연결된 개념은 비교적 쉽게 습득하지만, 추상적인 개념의 습득은 여전히 한정되어 있다. 전조작적 사고는 자기중심성, 집중성, 비전이, 비가역성, 추론의 다섯 가지 특성으로 설명할 수 있다.

구체적 조작기(concrete operation stage, 7~11세)는 주변 세계를 인식하는 아동의 능력이 상당히 진전된다. 아동은 이 단계를 통해 전조작기의 결핍 요소들을 습득하게 된다. 즉, 자기중심적 사고는 타인에 대한 관심으로 전환되고, 이러한 능력의 습득으로 구체적인 사물에 대한 논리적인 조작을 수행할 수 있게 된다. 단순한 지각에 의해서가 아닌 추론을 토대로 결론에 도달하게 되는 능력을 발전시키는 것이다. 이 단계의 주된 특성은 수와 물질의 특성에 대해서 배열과 분류의 능력이 발달한다는 것이다. 단지 이때의 논리적 사고는 실제적이고 물질적인 것에 한정되어 있다고 할 수 있다.

형식적 조작기(formal operation stage, 11세~성인까지)는 아동이 가설을 세워 사고하며 현실적인 것뿐만 아니라 비현실적인 것에 대해서도 추론할 수 있게 된다. 추상적인 문제를 체계적으로 사고하고 그 결과를 일반화할 수도 있다. 삼단논법의 이해가 이루어지는 것도 이 단계에서다. 또한 문제 상황에서 변인을 확인하여 분류할 수 있으며, 이를 통제 혹은 제어할 수 있다.

2) 비고츠키 - 인지발달이론

비고츠키(L. S. Vygotsky, 1896~1934)는 아동이 타인과의 관계에서 영향을 받으며 성장하는 사회적 존재임을 강조하여 인간에 대한 이해에서 사회·문화·역사적인 측면을 제시하였다. 그에 따르면 인간의 정신작용은 유전적으로 결정된 활동이 아닌 사회와의 상호작용의 결과다. 즉, 사회의 보다 성숙한 구성원들과 상호작용하는 동안 자신의 문화에 적합한 인지 과정이 아동에게 전이된다. 따라서 비고츠키는 상호작용에 필수적인 요소인 언어의 습득을 아동발달의 가장 중요한 변인으로 생각하였다.

비고츠키는 사고와 언어를 단순하게 자기만의 생각을 표현하는 것이 아니라 문제 해결을 위한 사고의 도구라고 생각하였다. 앞서 피아제가 자기중심적인 언어가 자기중심적 사고를 나타내는 것으로써 성장하면서 점차 감소한다고 본 것과는 달리, 그에 따르면, 독립적으로 발생하기 시작한 사고와 언어는 일정 시간이 지난 후에 서로 연합되고, 이러한 연합은 아동이 발달해 가는 과정에서 변화하고 성장한다는 것이다. 아동이 2세 정도 되었을 때는 사고와 언어가 결합되기 시작하며 점차 언어가 지적이고 합리적이 된다. 아동이 언어의 상징적 기능을 발견하게 되는 것도 이 시기이다. 이때부터 아동은 인형을 가지고 노는 것 등과 같은 활동을 통해 그들 스스로에게 많은 말을 한다. 4세가 되면 언어는 아동의 사고 형성에 구체적인 도움을 주게 된다. 이처럼 목적 달성에 필요한 수단을 얻기 위해 마음속에서 사용되는 언어를 내적 언어(inner speech)라고 한다. 내적 언어 발달에 관한 연구들은 내적 언어가 아동의 문제 해결에 중요하게 기능한다는 사실을 보여준다. 즉, 내적 언어의 사용 빈도는 과제 수행의 시간이 지나면서 더욱 증가하며 과제의 난이도와 정적 상관을 보인다. 다시 말하면, 문제 해결에서 곤란도가 높을수록 내적 언어의 사용이 증가한다는 것이다.

비고츠키의 근접발달영역(zone of proximal development: ZPD)이란 아동이 발달해가는 과정에서 자신의 능력으로 해결할 수 없는 문제에 직면하기도 하지만 성인이나 뛰어난 동료와 함께 학습하면 성공할 수 있는 영역을 의미한다. 근접발달영역에 위치하는 아동에게는 구조화를 형성할 수 있는 단서를 제공하거나 세부 사항과 단계를 기억할 수 있도록 조력하고 꾸준히 시도하도록 격려하는 도움이 필요하다. 비고츠키는 인지발달이 아동과 어른 혹은 아동과 더 능력 있는 동료 간의 상호작용을 통해 발생한다고 믿었다. 즉, 아동이 궁극적으로 그들 스스로의 힘으로 문제를 해결할 수 있도록 하는, 견고한 이해를 확립하는 동안에 필요한 요소를 지원해야 하며 그러한 조력을 비계(scaffolding)라 하였다. 따라서 교사는 학생의 능력을 평가한 후에 학생들에게 문제 해결 능력이 없다면 그들을 근접발달영역 내에 존재하도록 조절하는 역할을 수행해야 한다. 이처럼 근접발달영역의 개념은 인지발달이 사회적 상호작용의 결과로 발전한다는 사실을 강조하고 있으며, 아동의 인지발달에 교사나 성인이 적극적으로 도움을 줄 수 있는 이론적 근거를 마련하였다는 점에서 중요한 의미를 지니고 있다.

나. 정서발달이론

1) 프로이드 – 성적 성격발달

프로이드(S. Freud, 1856~1939)는 정신분석학이라는 조직적인 성격이론을 처음 제안한 학자로 그의 정신분석학은 많은 학문 영역에 중요한 영향을 주었다. 그의 이론은 생물학적 기제와 본능적인 충동을 기초로 하고 있다.

정신분석학이 가정하고 있는 점은 본질적으로 우리의 정신세계가 의식과 무의식의 두 부분으로 구성하고 있다는 것인데, 그는 특히 무의식의 본질과 기능에 관심을 두었다. 그는 성격의 구조를 본능, 자아, 초자아의 세 가지로 구분하여 제시하고 있다. 본능(id)이란 쾌락을 따르는 원초적 충동이고, 자아(ego)는 본능의 충동을 억제하고 합리적인 방법으로 쾌락을 얻으려는 것이며, 초자아(superego)는 자아가 현실적인 목표보다는 이상적인 목표로 향하도록 하는 것이다. 이러한 세 가지 성격구조를 형성하고 움직이게 하는 것이 성적 에너지인 리비도(libido)다.

프로이드의 성적 성격발달은 태어나서 다섯 살까지의 경험을 중요시한다. 이 기간 동안 유아는 여러 단계의 심리 · 성적 발달 단계를 거치게 되는데, 발달 단계의 구분은 리비도가 집중적으로 모이는 성감대의 변화에 따라 나뉜다. 프로이드는 태어나서 다섯 살까지 입, 항문, 성기 등의 순서로 성감대가 바뀐다고 믿고, 구강기, 항문기, 남근기 등으로 이러한 발달 단계를 구분하고 있다. 그는 이 시기를 성격 형성의 결정적 시기로 보고 있다. 이후, 다섯 살부터 성적으로 깨어나는 청소년기까지를 잠복기, 다시 청소년기 이후를 생식기로 구분하고 있다.

구강기(oral stage, 0~1세)는 아이가 태어나서 처음으로 성적 쾌감을 느끼는 시기다. 영아는 물체를 손으로 잡을 수 있게 되면 잡히는 대로 입으로 가져가서 빨기 시작하며, 치아가 생기면 곧 물어뜯기 시작한다. 영아가 이러한 활동을 통해서 성적인 쾌감을 얻을 수 있는 것은 자기 의지가 아니라 타인, 주로 어머니에 의해서다. 따라서 이 시기의 영아에게 어머니는 상당히 의미있는 타자의 역할을 하게 된다. 만약, 어머니의 적절한 보살핌을 받지 못하고 또 추구하는 쾌감을 얻지 못한다거나 반대로 과잉 충족을 하게 되면 성장 과정에서 성격적 결함이 나타난다. 이때의 성격적 결함은 구강적 특성을 지닌 것들인데, 예를 들면 지나친 흡연, 손가락 깨물기, 과음, 과식, 남을 비꼬는 일을 일삼는 미성숙한 성격으로 나타난다.

항문기(anal stage, 2~3세)는 구강기가 끝나면 성감대가 항문으로 옮겨간다. 유아는 배변 훈련을 통해서 항문 근육의 자극을 경험하게 되고, 이러한 경험을 통해 성적 쾌감을 얻게 된다. 이때 부모는 유아가 적절한 때와 장소에서 배설하면 적합한 보상을 주게 되며, 반대로 시간과 장소가 적절하지 않은 때에는 규제를 하게 된다. 이 시기를 적절히 보내지 못하면 대소변을 더러운 것이라고 생각하는 반동형성이 생겨서 지나치게 깔끔하고 지나치게 규율을 준수하는 결벽성을 갖게 된다.

남근기(phallic stage, 3~5세)는 주된 성감대가 항문에서 남근으로 옮겨진다. 이 시기의 아동은 남녀의 신체 차이, 아기의 출생, 부모의 성역할 등에 대해서 상당한 관심을 가지게 된다. 이 때문에 남자 아이들은 어머니에게 성적인 애정을 느끼고 아버지에게는 애정을 박탈당할까 걱정하게 되는 오이디푸스 콤플렉스(Oedipus complex)를 느끼게 된다. 한편 여자 아이들도 처음에는 어머니를 좋아하나 곧 자기는 남근이 없음을 알게 되고 그것을 부러워하는 남근선망(penis envy)을 갖게 된다. 그리고 이 책임을 어머니에게 돌리게 되며, 자신과 동일한 여성인 어머니와 경쟁의 심리가 발생하면서 아버지를 더 좋아하기 시작하는 엘렉트라 콤플렉스(Electra complex)를 갖게 된다. 이러한 콤플렉스를 극복하는 과정에서 동일시(identification) 현상이 나타난다. 남자 아이의 경우 어머니에 대한 성적 애정을 포기하고 아버지와 같은 남성다움을 갖기 위해 노력하며, 여자 아이의 경우는 남근이 없다는 것을 인정하고 어머니처럼 여성스럽게 되고자 노력하게 된다. 이 시기는 매우 복잡하고 자극적인 감정이 교차되는 특징을 보이며, 성격 형성에서 매우 중요한 단계이다. 따라서 이 시기를 잘 극복하지 못하였을 때에는 성불감증, 동성애 등과 같은 신경성 질환을 유발할 수 있다.

잠복기(latency stage, 6~11세)는 아동이 초등학교에 다니는 시기로 성적인 욕구가 억압되어 심리적으로 비교적 평온한 시기다. 그러나 이 시기의 아이들은 성적인 부분을 제외하고는 매우 활동적인 모습을 나타낸다. 즉, 문화적으로 가치 있는 기술을 학습하고 사회 속에서 자기의 역할을 배우며, 운동 능력을 키우고 논리적으로 사고하여 타인의 입장도 고려할 수 있게 된다. 이 시기를 잠복기라고 하는 것은 단지 성적으로 침체된 시기라는 의미에서다.

생식기(genital stage, 11세 이상)의 아동은 사춘기에 접어들면서 다시 성적 욕구가 생기게 된다. 이전 단계에서의 단순한 쾌감과는 달리 이 시기에는 진정한 사랑의 대상을 찾아 만족을 얻고자 한다. 이 시기의 아동들은 이성의 부모에 대한 지나친 밀착감이나 애정은 불가능한 것이며, 더구나 부모와의 성적인 관계는 금기시된다는 것을 알게 된다. 따라서 부모에게서 독립하려는 욕구가 생기며 진정한 사랑의 대상으로서 이성을 찾게 된다. 이 시기는 성격발달 단계 중 가장 긴 시기로 사춘기에서 노년기까지의 오랜 기간이 포함된다.

2) 에릭슨 - 심리사회적 성격발달

에릭슨(E. Erikson, 1902~1994)은 아동이 어떻게 자아 정체감을 발달시키고 어떻게 사회화되는지에 관심을 가졌다. 그의 이론은 심리적·사회적 발달에 대한 관심을 반영하고 있기 때문에 심리사회적 발달(psychosocial development)이론이라고 한다.

에릭슨은 피아제와 마찬가지로 성장 과정은 발달 단계를 이룬다고 하였다. 에릭슨이 구분하고 있는 발달 단계는 위기 혹은 심리사회적 문제를 특징으로 하는데, 각각의 단계는 개인적 동기에서의 차이를 반영하는 것이다. 사람이 성장하면서 직면하게 되는 위기를 수용하고 해결한다는 것은 개인이 지니고 있는 심리사회적 특징에서 긍정적인 면과 부정적인 면이 서로 적절한 비율로 나타나고 있음을 의미하는 것으로, 직면한 위기의 긍정적 혹은 부정적 측면으로의 문제 해결은 다음 단계의 발달과 인격에 영향을 미친다는 것이다. 그는 이러한 발달단계를 8단계로 나누어 설명하고 있다.

신뢰감 대 불신감(trust vs. mistrust, 0~1세)시기의 영아는 자신의 모든 것을 타인에게 의존하는데, 이때 신뢰감이나 불신감을 경험하게 된다. 부모를 비롯한 타인에게 지속적인 사랑과 관심을 받는 영아들은 신뢰감이 발달하고, 지속적이고 일관된 보살핌을 받지 못한 영아들은 타인과 주변 세계에 대해 불신감, 두려움, 의심 등을 갖게 된다. 일반적으로 영아들은 어머니의 수유방법 등의 구체적인 양육 행동이 내면화되면서 이러한 성격 형성의 과정을 경험한다.

자율성 대 수치심과 회의감(autonomy vs. shame and doubt, 2~3세) 시기의 아동은 스스로 먹고 입기 시작하며 배변훈련도 시작하게 된다. 즉, 자기 스스로 일을 수행해야 하는 도전에 직면하게 된다. 아동은 목표지향적인 행동을 하게 되며, 언어로 의사소통을 하기 시작한다. 이에 부모는 아동의 자발적인 행동에 칭찬을 하거나 신뢰를 표현하여 용기를 줄 필요가 있다. 그러나 지나치게 엄격한 배변훈련이나 사소한 실수에 대한 벌 등은 아동에게 수치심을 느끼게 하거나 자신의 능력에 대해 회의감을 갖게 할 수도 있다.

주도성 대 죄책감(initiative vs. guilt, 4~5세) 시기의 아동은 자율성이 증가하며 왕성한 지적 호기심을 보인다. 또한 아동의 인지가 급격하게 발달하게 되며 생활의 모든 부분에서 도전적인 충동을 갖게 된다. 따라서 어떤 활동을 할 때 주도적으로 참여하려는 등 자신이 주도적으로 일을 하여 인정받고 싶어 한다. 부모가 이러한 아동의 주도성을 비난하거나 질책하면 아이들은 위축되고 자기 주도적인 활동에 대해 죄책감을 느끼게 된다.

근면성 대 열등감(industry vs. inferiority, 6~11세) 시기의 아동은 대부분의 시간을 학교에서 보내게 되며 학교에서의 성공과 성취가 아동의 근면성을 발달시키게 된다. 따라서 교사와 또래 친구들의 영향력이 매우 중요하다. 만약, 이 단계에서의 도전이 너무 어려워 실패로 끝나는 경험이 많아지면 아동은 열등감에 빠지게 된다. 반대로 학습자로서 아동이 학습 상황에서 높은 성취와 성공을 할 수 있다면 매우 긍정적인 자아 개념을 발달시킬 수 있다. 이러한 근면성은 이후 생애에서의 적응과 성공, 그리고 인간 관계를 결정하는 데 매우 중요한 요인으로 작용한다. 따라서 교사는 아동의 긍정적인 자아 개념을 발달시키기 위해 아동이 높은 성취와 성공을 경험할 수 있도록 학습환경을 계획하고 적절한 과제를 할당하는 일에 신경을 써야 한다.

정체감 대 역할 혼미(identity vs. role confusion, 12~18세) 시기의 청소년들은 중요한 육체적, 지적, 감성적 변화를 경험하게 된다. 육체적으로는 급격한 성장을 하게 되지만 정신적인 조정능력은 신체적 발달에 미치지 못한다. 또한 청소년들은 성적인 느낌을 경험하게 됨으로써 종종 혼란에 빠지기도 한다. 이 시기에는 다른 사람이 자기를 어떻게 생각하는지에 대해 관심을 갖게 되어 멋을 내거나 용모를 꾸미는 데 열중한다. 또한 독립을 주장하지만 안정과 보살핌을 원하기도 한다. 교사들이 이 시기의 발달 단계를 충분히 이해하고 있다면 청소년들이 보이는 다양한 행동에 적절히 대처할 수 있을 것이다.

친밀감 대 고립감(intimacy vs. isolation, 19~24세) 시기는 성인 초기에 해당하는 시기로 사회에 참여하게 되고 자유와 책임을 가지고 스스로의 삶을 영위하기 시작하는 시기이다. 이 단계에서는 자기 자신의 문제에만 몰두하는 것에서 벗어나 직업 선택, 배우자 선택, 친구

선택 등의 다양한 문제를 경험한다. 조건 없이 다른 사람에게 무언가를 해 줄 수 있는 마음이 이 단계에서의 위기를 긍정적으로 해결하는 기초가 된다. 반대로 위기 해결에 실패하는 사람은 정서적으로 고립되고 자유롭게 사랑을 나누지 못한다. 타인과 친밀한 관계를 유지한다는 것은 타인을 이해하고 또 자기 자신도 이해할 때 가능한 것이다.

생산성 대 침체성(generativity vs. self-absorption, 25~54세)시기는 성인기로 이 시기의 중요한 특징은 창조성, 생산성, 다음 세대를 지도하는 것에 대한 관심과 헌신 등이다. 생산적인 성인은 더 나은 사회를 만드는 데 기여하려 하고, 깨끗한 환경 조성, 안정된 사회, 자유와 인간 존중의 원리를 지키기 위해 노력한다. 학생들이 겪는 다양한 문제점과 학업 성취에 진정으로 관심을 쏟는 교사는 이 단계에서 위기를 긍정적으로 해결한 사람이다. 부정적인 해결은 무관심과 허위, 그리고 이기심을 갖게 한다.

통정성 대 절망감(ego integrity vs. despair, 54세 이상)은 성인 후기로 통정성이란 자신의 삶에 후회가 없으며 열심히 살았고 가치 있었다고 생각하는 사람이 지니는 특성을 말한다. 이런 사람은 자신이 살아온 인생에 책임감이 있으며 죽음 또한 겸허하게 받아들인다. 이에 비하여 자신이 살아온 삶이 후회스럽고 무가치하며 새로운 인생을 시작하기에는 너무 늦었다고 생각하는 사람은 절망감에 빠지게 된다.

3) 피아제 - 도덕성 발달

피아제(J. Piaget, 1896~1980)는 인지 발달뿐만 아니라 도덕성 발달로도 유명하다. 피아제는 도덕적 판단이 발달해 가는 과정에서 사회적 관계성의 중요성을 간과하지는 않았지만, 도덕성이란 기본적으로 규칙의 체계이므로 도덕적 판단이 발달하는데 필수적인 요인은 인지적 발달이라고 믿었다. 이러한 가정을 근거로 그는 아동이 성장함에 따라 규칙을 이해하는 방식이 어떻게 변화하는지를 알아보았다. 그는 게임에 참여한 아동의 인터뷰를 통해 도덕적 규범이 형성되는 단계를 4단계로 보았다.

운동신경적 규칙(motor rules, 0~3세)은 어떤 재료를 가지고 놀이를 할 때 같은 행동을 몇 번이고 되풀이하는 규칙성 있는 행동을 하게 되는데, 도덕적 판단 역시 이러한 기제에 영향을 받게 된다. 피아제는 이러한 반복적인 행동방식을 운동신경적 규칙이라 하였으며, 이 시기의 아동은 진정한 의미의 도덕성을 아직 갖추기 못한 상태라고 보았다.

타율성과 도덕적 절대주의(heteronomy and moral realism, 3~7세)는 점차 게임의 규칙이 다소 강제적인 측면을 가지고 있음을 깨닫게 되는 시기다. 아동은 게임에 임하면서 게임의 규칙은 변화하지 않는 것이며 반드시 그것을 지켜야 한다고 인식한다. 피아제가 이 시기의 도덕성을 타율성이라 한 것은 규칙이 아동 자신으로부터가 아니라 타인에 의해 정해진 것으로 이해하고 그것을 따르려 하기 때문이다. 그리고 도덕적 절대란 도덕적 판단이 행위의 객관적인 결과에 의해서만 판단된다고 생각하는 아동의 절대론적 사고를 나타낸다.

자율성과 도덕적 상대주의(autonomy and moral reletivism, 7~11세)는 이 시기의 아동들이 게임을 하면서 경우에 따라서는 게임의 규칙을 수정하기도 하고 새로운 규칙을 만들기도 하는 것을 발견하였다. 즉, 이 시기의 아동들은 규칙은 외부에서 주어지는 것이기도 하지만 변화시킬 수도 있다고 생각하게 되는 것이다.

자율성과 도덕적 상대주의에 대한 형식적 추론(formal reasoning about autonomy and moral relevism, 11세 이상) 시기의 아동은 조작적 추론 능력을 갖게 됨에 따라 규칙을 보다 보편적이고 추상적인 개념으로 이해하게 된다. 이 시기의 아동은 새로운 경험 상황 속에서도 규칙을 새롭게 만들어 내며, 그것을 흥미로운 하나의 체계로 인식한다.

4) 콜버그 – 도덕성 발달

콜버그(L. Kohlberg, 1927~1987)는 자신의 박사학위 논문인 「10~16세에서의 사고와 선택의 경향성의 발달」에서 인간이 사회적 상황에서 도덕적 판단을 할 때 자연스러운 단계를 거치고 있음을 주장하였다. 또한 콜버그는 영국, 말레이시아, 멕시코, 대만, 터키에서의 조사 연구를 통해 서로 다른 문화 간에도 유사한 발달 단계의 원칙이 지켜진다는 것을 확인하였다. 그는 하인즈(Heinz)의 딜레마 사례와 다른 여러 갈등 상황을 제시한 연구에서 아동들이 이런 상황에 대해 어떻게 대답하는지를 기초로 도덕성 발달의 단계를 3수준 6단계로 구성하였다. 1단계와 2단계를 인습이전 수준(Pre-conventional level), 3단계와 4단계는 인습 수준(conventional level), 5단계와 6단계는 인습 이후 수준(post-conventional level)으로 각각 분류하였다.

1단계 벌과 복종. 이 단계에 해당하는 아동에게는 행위의 결과가 벌인가 칭찬인가, 혹은 행위를 강요하는 사람이 누구인가가 선악을 판별하는 주요 준거가 된다. 따라서 이 단계의 아동들에게는 벌을 피한다든지 권력에 무조건 복종하는 자체가 가치있는 것이다.

2단계 욕구 충족. 자신의 필요나 욕구, 경우에 따라서는 다른 사람의 필요나 욕구를 충족시켜 주는 행위이면 옳다고 판단한다. 이 시기의 인간관계는 일종의 교환관계. 따뜻한 우정이 있을 수는 있겠지만 주로 실용적인 관점에서 해석되는 단계이다.

3단계 대인관계 조화. 대부분의 성인에게 흔히 나타나는 생각으로, 내가 다른 사람을 기쁘게 해 주는 행위를 하면 다른 사람들이 나를 인정해 줄 것이기에 그것을 좋은 일이라고 판단하는 단계이다.

4단계 법과 질서 준수. 이 단계는 개인적인 문제보다 전체를 위한 의무감을 더욱 중요하게 여기는 단계다. 예를 들면, '이것은 법이다. 만약 모든 사람이 자신들이 원하는 대로 행동한다면 세상은 어떻게 될 것인가?'라고 생각하면서 주어진 사회 질서를 유지하려는 행동을 나타내는 단계이다.

5단계 사회계약 정신. 법적 관점이 중시되지만 이 단계에서는 법이 사회적 유용성에 대한 합리적 고려에 따라 법이 바뀔 수도 있다는 것 또한 중시된다. 예를 들면, '마리화나를 피우는 것은 법에 위배된다. 따라서 그것은 나쁜 일이다. 그러나 과학자들이 마리화나를 사람의 몸에 해롭지 않도록 개조한다면 그때에는 도덕적으로 나쁠 것이 없다.'고 생각하는 것이다.

6단계 보편적 도덕 원리. 스스로 선택한 도덕 원리에 따른 양심적인 행위가 곧 올바른 행위이다. 도덕 원리는 논리적이고 일관성이 있어야 하며 모든 사람에게 적용 가능해야만 한다. 그러나 극소수의 사람만이 이 단계를 거친다고 보았다.

2. 학습이론

가. 행동주의

행동주의 학습이론에 내재된 근본적인 학습원리는 자극과 반응 간의 연합이다. 자극(stimulus)이란 환경에서 학습자에게 제시되는 모든 것을 의미한다. 즉, 눈에 보이는 사물, 귀로 들리는 소리, 피부로 느껴지는 감촉 등은 모두 자극이 된다. 반응(response)이란 자극에 의한 행동을 의미한다. 뜨거운 물이 손에 닿았을 때 급히 손을 떼는 행동, 역겨운 냄새를 맡았을 때 순간적으로 숨을 멈추는 행동 등은 모두 자극에 대한 반응이다. 행동주의에서는 이와 같은 자극과 반응의 연합을 학습으로 이해하고 있다.

1) 왓슨 - SR이론

왓슨(J. B. Watson, 1878~1958)은 S-R이론(stivulus-response theory)을 통해 밖으로 드러나는 행동을 관찰하여 그러한 행동을 일으킨 구체적인 자극을 알아내기만 한다면 인간이 그런 행동을 하는 이유를 완벽하게 설명할 수 있을 뿐만 아니라 특정한 조건에서 인간이 어떻게 행동하는가를 정확하게 예측할 수 있다고 주장하였다. 그는 인간의 능력이란 선천적으로 결정되는 것이 아니라 적절한 환경의 조성과 훈련을 통해 형성되는 것이라고 하였다. 즉, 인간의 발달을 연속적이고 누적적이며 새롭고 복잡한 행동을 점진적으로 획득해 가는 계층적 과정으로 이해하고 있다.

2) 파블로브 - 고전적 조건형성이론

파블로브(I. Pavlov, 1849~1936)는 고전적 조건형성이론(classical conditioning theory)을 정립하였다. 파블로브는 배고픈 개에게 고기를 주면서 동시에 종소리를 들려주는 실험을 하였다. 이 실험에서 종소리는 중립자극(neutral stimulus: NS)으로 개에게 물리적 반응을 일으키지 못하지만 고기는 무조건자극(unconditioned stimulus: UCS)으로 개가 자연적으로 반응하여 침을 흘리게 되는 무조건 반응(unconditioned response: UCR)이 된다. 그는 개에게 무조건자극인 고기를 줄 때 중립자극인 종소리를 들려주었다. 이러한 실험을 반복한 결과 개에게 고기 없이 종소리만 들려주어도 침을 흘리게 된다는 사실을 발견하게 되었다. 이때 종소리는 중립자극이 아닌 조건자극(conditioned stimulus: CS)으로 작용하여 종소리만으로 침을 흘리게 된 것을 조건반응(conditioned response: CR)이라고 하였다. 고기(UCS)와 침(UCR) 사이에는 무조건적인 관계성이 존재하는 반면, 종소리(CS)와 침(CR) 사이에는 조건화가 형성되는 것이다. 이와 같이 어떠한 조건을 형성함으로써 반응을 유도하는 것이 고전적 조건형성이론이다.

3) 스키너 - 조작적 조건형성이론

스키너(B. F. Skinner, 1904~1990)의 조작적 조건형성이론(operant conditioning theory)은 오늘날 행동주의 학습이론을 교실에 적용하는데 중요한 관점을 제시하고 있다. 스키너는 지렛대, 먹이접시, 빨간불, 녹색불이 있고 바닥에는 전기배선망이 설치된 '스키너 상자' 실험을 하였다. 지렛대를 누르면 먹이접시에 먹이가 떨어지도록 고안되어 있는 이 상자 안에 쥐를 넣어, 지렛대를 누르면 먹이가 먹이접시에 떨어지는 것 사이의 연관성을 학습하게 되어 반복적으로 지렛대를 누르게 된다. 이처럼 쥐가 지렛대를 누르는 행동과 이러한 행동의 빈도를 증가시키도록 고안된 먹이와의 관계를 강화라는 용어로 설명하였다. 강화(reinforcement)란 행동의 빈도를 증가시키는 것으로 조작적 조건형성이론에서 가장 중요한 개념이다. 스키너의 조작적 조건형성이론과 파블로프의 고전적 조건형성이론의 가장 큰 차이점은 고전적 조건화가 행동을 유발하기 위해 자극에 관심을 두는 반면, 조작적 조건화는 자극보다는 유발된 행동의 결과에 관심을 둔다는 점이다. 그러한 점에서 신중하게 통제된 행동의 결과는 개인이나 사회를 바람직한 행동으로 이끌 수 있다고 하였다.

  4) 반두라 - 사회학습이론

반두라(A. Bandura, 1925~현재)는 사회학습이론(social learning theory)를 통해 학습이 발생하는 데에는 조건화의 중요성뿐만 아니라 우리가 살아가는 사회 상황의 영향에 주목하며 학습의 과정에 대한 시각을 보다 확장시켰다. 반두라는 보보라는 인형을 이용한 실험을 하였다. 세 그룹의 아이들을 대상으로, 보보라는 인형을 발로 차고 때리는 영화를 보여주었다. 그리고 나서, 첫 번째 그룹에게는 이와 같은 행동을 한 모델이 상을 받는 영상을, 두 번째 그룹에게는 모델이 벌을 받는 영상을, 세 번째 그룹에게는 상도 벌도 받지 않는 영상을 보여주었다. 이후, 각각의 그룹에 보보 인형을 주고 행동을 관찰한 결과, 첫 번째 그룹의 아이들이 가장 공격적인 성향을 보였으며, 벌을 받는 영화를 보여준 그룹의 아이들의 공격성이 가장 낮게 관찰되었다. 흥미로운 것은 아이들에게 영화 속 모델이 보여준 행동을 모방하면 상을 주겠다고 했을 때 세 그룹 아이들 모두 영화 속 모델이 한 행동을 그대로 따라하였다는 것이다. 즉, 반두라는 학습은 강화작용 없이 단순히 모델을 관찰하는 것(modeling)만으로도 형성될 수 있으며, 겉으로 표현되지 않는다고 해서 학습이 일어나지 않았다고 단정할 수는 없다고 하였다. 이를 통해 사회인지이론에서는 서로 다른 두 종류의 학습이 존재하며, 실제로 실행하고 그 결과에 대한 경험에 의해 학습되는 것을 실행학습(encative learning)으로, 타인의 행동을 관찰하는 것만으로도 학습이 일어날 수 있다는 것을 대리학습(vicarious learning)이라 하였다. 또한 강화를 세 가지 종류로 구분하여, 조작적 조건형성이론에서의 강화를 직접적 강화(direct reinforcement), 대리학습처럼 간접적인 강화를 대리적 강화(vicarious reinforcement), 그리고 자신의 행동 결과에 대해 스스로 평가하는 자기 강화(self reinforcement)라 하였다.

  나. 인지주의

인지주의 학습이론은 1950년도 이후 관심을 받기 시작했다. 제2차 세계대전 중 독일에서 미국으로 망명한 형태주의 심리학자들이 보여 준 인간의 지각에 대한 새로운 시각, 그리고 언어학습 과정에서 행동주의의 설명이 부적절하다는 언어학습 심리학자들의 연구에 의해 자극과 반응의 결합만으로는 인간의 학습을 완전히 설명할 수 없으며, 새로운 관점이 필요하다는 시각이 강하게 제기되면서 인지주의 학습이론이 주목을 받게 되었다.

1) 톨먼 – 신행동주의

톨먼(E. Tolman, 1886~1959)은 신행동주의 학습이론의 대표적인 인물로 정통적인 행동주의 학습이론과 달리 내적인 정신작용에 근거하여 실험 결과를 해석하였으며, 학습이 단순히 자극과 반응의 결합이 아닌 보다 포괄적인 현상의 결과라 하였다. 톨먼은 서로 다른 강화 조건을 가지고 있는 세 개의 쥐 집단을 만들고 미로찾기 실험을 하였다. 첫 번째 집단의 쥐들에게는 첫날부터 미로찾기 학습에 성공할 때마다 강화물로 음식이 제공되었으며, 두 번째 집단의 쥐들에게는 성공에 대해 아무런 강화물도 제공하지 않았다. 세 번째 집단의 쥐들에게는 처음 10일 동안은 아무런 강화물도 주지 않았으나, 11일째부터는 성공에 대하여 강화물을 주기 시작하였다. 실험 결과, 세 번째 집단의 실패빈도는 첫 번째 집단의 초기 실패수준과 비슷해야 하지만 강화물을 주기 시작한 11일째부터 첫 번째 집단의 11일째 실패수준과 비슷한 수준을 보이는 것을 확인하였다. 이는 강화물이 제공되지 않아도 학습이 이루어지고 있었음을 의미하며, 강화물은 단지 습득된 학습이 행동으로 표출되도록 만드는 역할만 할 뿐이라는 주장을 하였다.

2) 쾰러 – 통찰이론

쾰러(W. Köller, 1887~1967)는 통찰이론을 통해 형태주의 심리학의 입장을 정리하였다. 대표적 실험(1925)으로 바나나를 높은 곳에 매달고 나무막대와 상자들을 놓아 둔 후에 침팬지의 행동을 관찰하였다. 침팬지는 바나나를 따기 위해 손을 뻗치거나 발돋움을 하는 등 애를 쓰지만 이내 바나나를 딸 수 없다는 것을 깨닫게 된다. 그래서 침팬지는 잠시 행동을 멈추고 방안을 살핀후 상자들을 쌓고 그 위에 올라가 나무막대를 이용하여 바나나를 땄다. 이러한 실험 결과는 학습이 계획적인 시행착오의 결과라고 생각하는 행동주의의 입장과는 달리, 문제 해결의 과정은 통찰적 전략의 사용을 통해 이루어진다는 것을 보여주며, 학습에서의 문제 해결에서 문제를 전체 장면에서 지각하는 의식현상의 중요성을 보여 주었다.

3) 레빈 – 장이론

레빈(K. Lewin, 1890~1947)은 장이론(field theory)으로 형태주의 심리학의 입장을 보여주고 있다. 레빈은 인간의 행동을 개인과 환경의 함수 관계로 설명(1942)하였다. 그는 행동이란 개인이 경험하는 심리적 사실에 영향을 받으며, 심리적 사실은 개인의 전체적 상황으로서의 생활공간을 이룬다고 보았다. 이러한 생활공간은 개인의 심리적 사실이 변화하면 전체적으로 재배치되는 특성을 갖는다. 또한 그는 행동의 원인은 계속하여 역동적으로 변화하는데, 이러한 현상을 심리적 장(psychological field)이라고 하였다. 장이론에서의 학습이란 개인이 지각하는 외부의 장과 개인의 내적·개인적 영역의 심리적 장의 관계에서 이루어지는 인지구조의 성립 또는 변화라고 하였다.

4) 브루너 - 발견학습

브루너(J. S. Bruner, 1960, 1963)는 과목의 구조에 대한 이해, 능동적인 학습, 학습에서의 귀납적 방식을 강조한다. 과목의 구조란 과목에 포함된 세부 사항이라기보다는 중요한 개념과 본질적인 정보를 의미하는데, 이러한 과목의 구조를 파악하기 위해 학생이 갖추어야할 태도는 능동성이며, 교사가 제시하는 내용을 그대로 받아들이기 전에 자기 스스로 핵심적인 정보를 찾아 발견해 내야 한다. 교사는 학생들에게 학습 내용에 대한 질문, 탐구, 경험을 유도하고 자극하는 것이 강조되는데, 이런 과정을 발견학습(discovery learning)이라 한다. 즉 브루너는 학생들이 구체적인 정보에서 일반적인 원리 혹은 원칙을 이해하기 위해 구조화된 교실 상황에서 교사의 지도하에 귀납적 추론을 통한 안내된 발견을 해야 함을 주장한다.

브루너의 교수이론은 선행 경향성의 자극, 지식의 구조화, 학습의 계열화, 강화, 학습자 사고의 자극이라는 다섯 가지 측면을 포괄하고 있다. **선행 경향성의 자극**은 학습자가 학습하고자 하는 의욕 또는 도전감을 갖도록 자극하는 것으로 문화의 특성, 동기체계 및 각 학습자의 개인적인 요인에 영향을 받는다. **지식의 구조화**는 특정 영역의 지식구조를 이해하는 것은 그 영역과 의미 있게 관련된 것들을 받아들이는 방식으로 이해하는 것이라 보았다. 즉, 지식의 구조를 알게 되면 정보를 단순화하고, 새로운 명제를 산출하며, 지식의 조작능력을 증진시킬 수 있다는 것이다. **학습의 계열화**는 교수에서 학습자의 지적 수준에 맞게 지식을 제공하는 것으로 학습자의 지적 발달 단계에 적절한 방식으로 접근해야 한다는 것이다. **강화**는 외적 보상은 성공한 수준의 행동만 되풀이하게 될 가능성이 있고 외적인 벌은 행동을 와해시킬 수 있으므로 내적 보상과 외적 보상이 균형을 유지해야 함을 설명하였다. **학습자 사고의 자극**은 인간을 스스로 무엇인가를 발견하려는 욕구를 가진 능동적인 존재로 가정하여 학생들이 자발적으로 자신의 추진력에 의해 사고하는 태도를 갖도록 교과를 지도하여야 한다. 즉, 교사는 탐구적 사고의 절차를 학생들에게 가르쳐야 한다고 강조하였다.

5) 오스벨 - 유의미학습

오스벨(D. P. Ausubel, 1963)은 언어적인 정보 혹은 관념 간의 관련성 또는 결합을 통해 유의미한 학습(meaningful reception learning)이 발생한다고 주장하며, 학습자의 인지구조와 학습과제라는 두 변인을 상호 관련지어 연역적 방식으로 설명하고 있다. 인지구조(cognitive structure)란 지각하는 현상을 통합적·위계적으로 조직한 것으로, 학습자가 지닌 조직화된 개념이나 관념의 집합체가 인지구조인 것이다. 학습과제(learning task)란 새로운 내용이 기존의 지식과 논리적인 관련성을 가질 때 유의미 학습이 일어날 수 있으며, 논리적 관련성은 학습과제가 실사성과 구속성을 지닐 때 가능하다고 하였다. 여기서 실사성이란 개념, 법칙, 이론, 명제 등에 내재된 본질적 속성이 변하지 않는 불변적이고 절대적인 특성이며, 구속성이란 학습자가 어느 정도 깨달을 수 있는 추상적 용어로 인지구조에 연결될 수 있는 가능성과 잠재력을 뜻한다. 따라서 학습과제가 실사성과 구속성을 가질 때 학습자는 자신의 인지구조와 의미 있게 관련지을 수 있는 유의미학습이 이루어진다고 보았다.

오스벨은 교수이론을 3단계로 제시하였다. 1단계에서는 선행조직자를 제시하며, 2단계에서는 학습과제나 학습자료가 제시되고, 3단계에서는 인지 조직에 대한 강화가 이루어진다. 이 모형에서 교사는 학습자가 새로운 자료와 이전의 자료를 구별할 수 있도록 도와주고 학습자료와 조직자를 관련지어 주는 역할을 해야 한다. 또한 학습자의 기존 인지구조를 이해하고 학습자료를 이러한 인지구조에 관련지어 제시해야 한다. 이때 새로운 과제와 관련 정착지식이 서로 연관을 맺도록 하는 것이 선행조직자다. 즉, 교사는 학습자가 새로운 자료의 의미를 명료화하고, 새로운 지식을 기존의 지식과 조화시키며, 새로운 자료가 적합한 지식이 되도록 하고, 지식에 대하여 비판적으로 접근할 수 있는 능력을 증진시키도록 도와주어야 한다.

다. 구성주의

1) 피아제 - 인지적 구성주의

인지적 구성주의는 지식의 구성을 개인의 정신적 활동에 근거한다고 전제하는 것으로 피아제의 인지발달이론에 그 이론적 근거를 두고 있다. 피아제는 인간의 인지 발달은 생물학적으로 결정지어지는 발달 과정의 틀 안에서 동화와 조절의 과정을 거치면서 능동적으로 발달해 간다고 보았다.

피아제의 지식 구성 과정은 모순없는 새로운 지식은 동화시키고, 기존의 도식에 적절하지 않은 시식은 지적 도식을 변경히면서 끊임없이 지적 도식을 확장시키는 과정이라고 설명한다. 피아제의 이론에 따르면, 학습이란 인지적 혼란이나 모순을 겪었을 때 동화와 조절을 통해 인지구조를 변화시키는 과정이며, 효과적인 교수학습은 적절한 인지발달 단계에 맞는 자극이 주어질 때 발생한다는 것이다. 따라서 인지적인 갈등이나 모순은 지적 발달을 촉진하는 매개체가 된다. 동화와 조절의 과정은 인간이 수동적으로 지식을 전달받는 것이 아니라 인간이 스스로 능동적으로 정보를 내면화시킴을 의미한다.

인지적 구성주의는 이러한 인지적 활동이 지식 구성에 핵심적인 역할을 한다고 전제하고, 동화와 조절을 촉진할 수 있는 방법에 관심을 갖는다. 인지적 구성주의자들은 인지적 평형 상태를 방해하는 원인의 규명보다는 깨어진 인지적 평형 상태를 복귀시키는데 더욱 관심을 둔다.

피아제의 인지적 구성주의는 아동 학습의 새로운 측면을 보여주면서 구체적인 활동과 경험의 중요성을 강조하는 교수 이론의 발전을 가져왔다. 특히, 학습을 동화와 조절의 역동적 과정으로 보는 것은 이후 인간의 인지과정과 관련된 많은 후속 연구를 자극하게 되었으며, 인지발달 단계 이론은 미국의 브루너의 행동적(enactive), 영상적(iconic), 상징적(symbolic) 표상화 형식과 연결되면서 활동, 구체적 경험과 함께 이를 지원하는 각종 시청각적 매체가 인지 과정에 도움을 줄 수 있다는 이론으로 발전하게 되었다.

2) 비고츠키 - 사회적 구성주의

사회적 구성주의는 비고츠키의 인지발달이론에 기초를 두고 학습에 영향을 미친 사회적인 요소에 관심을 갖는다. 사회적 구성주의에서는 인간의 인지적 발달과 기능은 사회적 상호작용이 내면화되어 이루어지는 것으로 보고 있다. 아동은 자신의 세계를 스스로 구조화하고 이해하는 존재라고 생각한 피아제와 달리 인지적 발달은 사회적인 상호작용의 결과로 본다. 즉 아동이 타인과의 관계에서 영향을 받으며 성장하는 사회적 존재임을 강조함으로써, 인간에 대한 이해에 있어서 사회, 문화, 역사적인 측면을 강조한다.

비고츠키의 지식 구성 과정은 독립적인 활동이 아니라 사회 학습의 결과이며, 학습은 사회적으로 맥락화된 지식을 자신의 시각에 의하여 내면화하는 과정이다. 이 과정은 동료들이나 주변 인물들과의 상호작용을 통하여 촉진된다고 본다.

사회적 구성주의에서 학습이란 문화적인 실제에 참여하면서 타인과의 빈번한 상호작용을 통해 일어나는 문화화의 과정임과 동시에 자기 조직의 과정이라 보았다. 따라서 학생들이 문화적 실천에 공동으로 참여함으로써 학습이 일어난다고 본다.

비고츠키의 사회적 구성주의는 지식이 전적으로 개인의 경험에 의존하며, 모든 사람은 똑같은 이해에 도달할 수 없다는 극단적 구성주의의 한계점을 사회문화적 상호작용으로 보완해 준다. 결국 지식의 구성은 개인 내면의 인지적 작용과 함께 사회문화적인 상호작용이 통합적으로 이루어지는 역동적인 과정이라 할 수 있다.

사회적 구성주의는 Jonassen(1991)의 학습에 관한 객관주의적 관점과 구성주의적 관점의 차이에 관한 이론적 논의를 전후로 문제기반학습, 목적기반 시나리오, 문제기반 시나리오, 상황 학습 등 다양한 형태의 구성주의적 학습환경 설계에 관한 연구들로 이어졌다. 또한 학습이 발생할 때 특정 사회적 맥락에 대한 강조, 학습 촉진자로서 교사의 역할에 대한 재조명, 그리고 정보통신 매체 등 다양한 도구들이 교사와 학생 혹은 학생간의 상호작용을 촉진하는 교육적 가능성에 대한 탐색 등이 계속 이루어지고 있다.

V. 교육과정

1. 수준에 따른 교육과정

가. 국가 수준 교육과정

국가 수준 교육과정은 교육에 대한 국가의 의도를 담은 교육계획의 기준을 의미한다. 이 기준에는 학교에서 편성 및 운영해야 할 교육과정의 교육 목표, 내용, 방법, 평가 등에 관한 국가 수준의 기준 및 기본 지침이 제시되어 있다. 즉, 초·중등교육법에 의거해서 학교 교육과정의 기준으로서 법적 구속력을 지니고 있다.

국가 수준 교육과정은 시간과 공간을 넘어 인류의 국가 형성과 함께 있어 왔다고 할 수 있다. 한국교육과정평가원(Korea Institute for Curriculum and Evaluation)이 운영하는 국가 교육과정정보센터(National Curriculum Information Center)에서는 우리나라 교육과정(National Curriculum of Korea)을 조선시대 교육과정에서부터 개화기, 일제강점기, 그리고 대한민국 건국이후 2022 개정교육과정까지 제시하고 있다.

각 시대와 시기별 국가 수준 교육과정은 당시 상황에 맞게 정립되고 변화되어 왔지만, 시대와 시기를 넘어서는 보편적 방향성에서의 공통점을 지니고 있다. 그것은 바로 국가의 건국과 존립 및 통치 이념을 확립하고 유지, 발전시키기 위해 요구되는 국가 수준에서의 교육에 대한 관리 차원에서 교육의 이념과 목적, 추구하는 인간상을 담고 있다는 점이다. 그러한 점에서 국가 수준 교육과정은 국가의 선국과 존립, 운영 철학과 통치 이념을 기반으로, 각 시대와 시기에 부합하는 교육 목표와 목적을 제시하고, 국가와 사회에서 필요로 하는 인재상을 제시하는 역할을 수행하며 그 필요성과 의미를 지녀 왔다.

국가 수준 교육과정의 구성은 총론과 각론(교과 교육과정)으로 이루어져 있으며, 총론에는 교육과정 구성의 방향, 학교급별 교육목표, 편제와 시간 배당 기준, 교육과정의 편성과 운영 지침 등이 포함되어 있고, 각론에는 교과의 성격과 목표, 내용, 교수-학습 방법, 평가 등이 포함되어 있다.

나. 지역 수준 교육과정

지역 수준 교육과정은 국가 수준 교육과정의 기준과 내용을 해당 지역의 실정에 적합하게 그 수준과 내용을 수정한 것으로, 지역내 학교 현장에서 적용할 수 있도록 하기 위한 지침으로서의 교육과정 세부 편성·운영의 방향을 의미한다. 그러한 차원에서 지역 수준 교육과정은 국가 수준 교육과정과 학교 수준 교육과정의 중간적 수준을 지닌다.

지역 수준 교육과정의 역할은 국가 수준 교육과정에서 다루고 있는 전국 모든 학교의 편성 및 운영에 관한 교육 내용의 공통적·일반적인 기준을 각 지역의 특수성과 각 학교의 다양한 요구와 필요를 담아내는 것이다. 이러한 점에서 시·도교육청 수준에서는 국가 수준의 교육과정을 근간으로 하여 국가 수준 교육과정에서 제시하기 힘든 상황, 지역의 특수성과 학교의 실정, 학생의 실태, 학부모 및 지역 사회의 요구, 그리고 해당 지역과 학교의 교육 여건 등에 적합한 지역 중심 교육 중점 등을 설정하여 관내의 학급 학교가 교육과정을 편성·운영할 때 준거로 삼도록 하는 것이다.

지역 수준 교육과정은 초중등교육법 제23조 제2항에 초중등학교 교육과정의 기준과 내용에 관한 기본적인 사항은 교육부 장관이 정할 수 있도록 하고 있으며, 시·도교육감은 이에 근거하여 지역의 실정에 적합한 기준과 내용을 정할 수 있도록 하고 있다. 또한 학교는 초중등교육법 제23조 제1항에 의거 학교 교육과정을 운영하여야 한다고 규정하고 있다. 이러한 국가 수준, 지역 수준, 학교 수준에 대한 교육과정 편성 및 운영은 법령에 의해 규정하고 있다.

다. 학교 수준 교육과정

학교 수준 교육과정은 국가 수준 교육과정 기준과 시·도교육청 교육과정 지침을 근거로 하여 지역의 특수성과 학교의 실정 및 실태에 맞게 각 학교별로 마련한 의도적인 교육실천 계획을 의미한다. 즉, 학생에게 책임지고 실현하여야 할 교육 목표, 내용, 방법, 평가 등에 관한 실천 가능한 구체적인 실행 교육과정이고, 당해 학교의 특색있는 교육 설계이며, 상세한 교육 운영 세부 실천 계획인 것이다. 또한 학교 수준 교육과정은 해당 학교의 교육 목표와 교육 중점, 경영 철학, 전통, 특성 등이 치밀하게 반영되어 있고, 그 학교의 창의적이고 독특한 교육 내용, 방법과 운영 방식이 특색 있게 나타나 있어 각 학교가 제각기 다양한 교육의 모습을 보일 수 있게 편성·운영되어야 한다.

학교 수준 교육과정이 보다 의미를 지니기 위해서는 그 속에 그 학교만의 문화와 철학이 담겨있어야 한다. 문화와 철학은 단순히 학교의 몇몇 구성원들이 만들어내는 것이 아니라 모든 구성원, 즉 학부모와 학생의 의견과 상태까지 담아내는 교육과정이어야 한다. 전국의 모든 학교가 국가 수준 교육과정과 별반 차이없이 형식적으로 문서화된 교육과정이라던지, 시·도교육청에서 내려준 지역 수준 교육과정을 그대로 가져다 쓰며 일부 담당교사들만의 교육과정이 아니라, 학교 구성원 모두가 함께하는 문화와 철학이 담긴 교육과정으로 계획될 때 진정한 학교 수준 교육과정이라 부를 수 있을 것이다.

라. 학급 수준 교육과정

학급 수준 교육과정은 오늘날 교육과정 결정의 분권화와 교육과정에 대한 자율성이 지속적으로 확대되면서 교사의 역할이 교육과정 실행자 및 사용자, 교수자에만 한정되지 않고 교육과정에 대한 의사 결정자로까지 확대되고 있는 분위기 속에서 강조되고 있다. 즉, 교육과정의 최종적 실천자인 교사가 바로 교육과정의 최종 결정자이고 개발자로 자리매김하게 되면서 그 중요성이 더욱 강조되고 있다.

교육의 실천자이자 교육의 주체인 교사에게 있어 교육 내용과 방법을 결정하고 어떻게 실천하고 평가하느냐 하는 것은 대단히 중요한 과제다. 각 학교에서 일련의 교육 실천 계획을 수립하고 중점 교육과 특색 사업을 계획하고자 할 때, 그 근거가 되는 것이 국가 수준 교육과정과 지역 수준 교육과정이기 때문에 교사들은 이 기준과 지침을 자세히 분석하는 동시에 학교의 학생, 교원 실태, 그리고 교육 시설 및 설비, 자료 등의 교육 여건 등을 잘 파악하고 있어야 한다. 이는 학교의 여건과 실태에 대한 구체적인 이해에 기초하여 학급의 학생들에게 실천 가능한 교육과정을 구현할 수 있는 운영 계획 및 세부 실천 계획을 수립하는데 필수적인 요소이기 때문이다. 따라서 교사는 국가 수준 교육과정 기준과 지역 수준 교육과정 지침을 근거로 하여 학교 실태, 학생 실태를 반영한 교육과정을 계획하고 운영해야 하는 교육과정 개발자로서뿐만 아니라, 실행자로서의 역할을 수행하게 되는 것이며, 이에 필요한 교육과정이 바로 학급 수준 교육과정인 것이다.

2. 의도에 따른 교육과정

가. 계획된 교육과정

계획된 교육과정은 교사들이 수업을 계획하고 학생들을 평가하는 교수-학습 활동의 근거가 되며, 교사들의 교수 활동에 대한 장학과 교육과정의 실행 및 결과에 대해 책무성을 묻는 토대로서 작용한다.

계획된 교육과정은 단계에 따라 문서로서의 교육과정, 실천으로서의 교육과정, 성과로서의 교육과정으로 구분된다. 문서로서의 교육과정은 국가 수준, 지역 수준, 학교 수준, 학급 수준 교육과정과 같이 책임의 주체에 따라 수준별 문서로 정리된 교육과정을 의미한다. 실천으로서의 교육과정은 학교에서 실제로 실천되고 있는 교육활동을 가리킨다. 학교 또는 학급에서 교사가 실제로 가르치고 학생들이 배우는 활동이 실천으로서의 교육과정이다. 성과로서의 교육과정은 교육의 결과로 나타나는 성과나 산출을 의미하는 것으로 이해된다. 동일하게 문서화되거나 실천된 상황 속에서도 학생들은 서로 다른 교육적 경험을 하게 되는 것을 일컫기 위해 성과로서의 교육과정이라는 용어를 사용한다.

나. 잠재적 교육과정

잠재적 교육과정(latent curriculum)은 계획되거나 의도하지 않았는데 학생들이 학습하게 되는 교육과정을 말한다. 잠재적 교육과정은 그 자체로는 아무런 가치 판단을 가지고 있지 않지만 그것이 학교 폭력 등과 같이 의도하지 않은 부정적인 측면으로 전개되는 경우가 있다. 이와 관련하여 국가나 시·도 수준의 교육과정 편성·운영에서도 고려되어야 하며, 무엇보다도 학교의 문화를 형성하고 교수·학습을 전개해 나가는 과정에서 긍정적인 잠재적 교육과정이 형성될 수 있는 방안이 마련되어야 할 것이다.

잠재적 교육과정을 이데올로기 기능과 관련지어 설명하기도 한다. 즉, 학교교육이 표면적으로는 민주적 시민 양성과 평등한 민주 사회 건설을 교육의 이상으로 내걸고 있지만, 실제로는 불평등한 사회 구조를 효과적으로 재생산하고 있다는 것이다. 이런 맥락에서 잠재적 교육과정은 불평등한 사회 구조를 재생산해내는 학교교육의 숨겨진 기능을 일컫는다는 의미에서 숨겨진 교육과정으로 개념화되기도 한다.

다. 영 교육과정

영 교육과정(null curriculum)은 의도적으로 가르치지 않았는데도 학습하는 현상을 개념화한 잠재적 교육과정과는 달리, 꼭 필요한 교육과정의 내용인데도 불구하고 생략되어 가르쳐지지 않아서 학생들이 배우지 못한 경우를 영 교육과정으로 개념화한다.

영 교육과정은 공식적인 교육과정에서는 다루지 않는 부분이다. 그러나 그 이유를 교육적 가치가 없기 때문이라고 볼 수는 없으며 영 교육과정에 해당하는 교육 내용이 시대가 변함에 따라 공식적으로 교육과정으로 포함되기도 사라지기도 한다. 예를 들어 자유주의 국가에서 공산주의 이념과 원리를 가르치지 않는다던지, 비민주적 국가에서 비판적 사고 능력은 정부를 비판하는 능력의 신장을 가져올 수 있다고 생각하여 교육과정에서 의도적으로 제외하는 것 등이 영 교육과정의 사례라 할 수 있다.

3. 성향에 따른 교육과정

가. 보수적 교육과정

보수적 교육과정은 교과 중심 및 학문 중심 교육과정에 기반하고 있으며, 교육을 통해 한 사회의 지배적인 규범이나 문화를 후세대에 전달하여 줌으로써 사회를 안정적으로 유지해 나가고자 노력한다. 이러한 보수적 교육과정은 현재의 사회를 유지하는 데 필요한 지식, 기능, 가치, 태도 등을 중요시한다. 교육은 이러한 내용들을 학생들에게 전달하는 과정으로 규정되며, 사회화 또는 문화화 기제를 통하여 학생들을 기존 사회 체제에 효율적으로 편입시키고자 노력한다. 보수적 교육과정은 대체로 전통적으로 가르쳐오던 교과 중심의 교육을 중시하며, 학생들을 본능적인 수준의 삶에서 문명화된 삶의 수준으로 이끌어 올리기 위해서 가능하면 엄하게 다루면서 훈육해야 할 상대로 간주하는 경향이 있다.

보수적 교육과정은 교육을 일방적인 전달활동(transmission)으로 규정한다. 사회의 대변인 또는 지식의 축적자로 간주되는 교사가 텅빈 머리나 마음을 지닌 것으로 상정되는 학생에게 필요한 지식, 기능, 가치, 태도 등을 전달하는 것을 교육으로 간주한다. 이 경우, 학습은 학생이 교재를 암기하거나 교사의 설명을 들을 때 가장 효과적으로 일어난다. 교육을 전달활동으로 보는 관점에서는 주어진 지식, 기능, 가치, 태도 등에 대해 의문을 제기한다거나 비판적인 사고를 수행하는 것이 권장되지 않는다. 왜냐하면 사회나 교사가 가치있다고 판단하는 내용을 효율적으로 학생들에게 전달해 주는 것이 교육의 가장 중요한 임무이기 때문이다.

나. 진보적 교육과정

진보적 교육과정은 경험 중심 및 인간 중심 교육과정에 기반하고 있으며, 보수적 교육과정이 가르쳐야 할 내용, 즉 전통적인 교과를 강조하는 것과는 달리, 배움의 주체가 되는 학생을 강조한다. 이러한 관점에 의하면, 교육은 교과나 특정 내용을 가르치는 것보다 학생의 경험을 제공하는 것에 관심을 갖는다. 따라서 교육 활동에 있어서 학생들의 다양한 특성을 파악하는 것이 무엇보다도 중요하다. 학생의 학업성취 수준, 관심, 흥미, 이전의 경험, 개인의 성장 과정, 인지 양식, 학습 스타일 등을 고려하여 교육의 내용과 방법을 제공하고자 한다. 흔히 아동의 경험을 중시하는 교육활동이나 학습자 중심 교육은 이러한 진보적 교육과정의 관점을 지향한다.

진보적 교육과정은 교육을 상호작용 활동(transaction)으로 간주한다. 따라서 교사로부터 학생에게로 일방적인 전달만을 강조하는 보수주의적 교육과정과는 달리, 진보주의적 교육과정은 교사와 학생의 상호작용을 중시한다. 이 관점에서는 주로 교사나 학생간의 대화를 통한 문제 해결이나 구성적인 탐구활동을 중시한다. 학생은 자신만의 특한 인식체계를 지니고 있기 때문에 학생의 인지구조를 고려하지 않거나 무시한 교육활동은 실패할 수밖에 없다. 따라서 교육은 반드시 학생 스스로 사고하고 생각할 수 있도록 배려해야 하고, 학생의 눈높이에 맞추어 진행되어야 한다.

다. 급진적 교육과정

급진적 교육과정은 보수적 교육과정이나 진보적 교육과정과는 달리, 교육의 정치적인 성격을 강조한다. 이들에 의하면, 보수적 교육과정은 사회화를 통한 사회 구조의 재생산을 적극적으로 추진한다는 점에서 현장유지적 관점이며, 진보적 교육과정은 아동의 관심과 흥미에 기초한 교육적 경험의 성장을 중시하고 아동의 교육활동을 둘러싼 정치, 경제, 사회, 문화적 권력 관계를 등한시함으로 인해 궁극적으로 사회변혁에 이르지 못하고 사회 구조의 재생산에 이른다는 점에서 낭만적 관점으로 바라본다.

급진적 교육과정은 교육을 변혁활동(transformation)으로 바라본다. 여기서 변혁활동은 기본적으로 불평등한 사회 구조가 보다 평등한 사회 구조로 바뀌는 것을 의미한다. 현존하는 사회는 근본적으로 다양한 층위의 억압 기제로 구성되어 있다고 보기 때문에, 사회의 구조적인 모순을 인식할 수 있는 비판적인 문해력을 지닌 인간을 길러 냄으로써 사회의 변혁을 추구하고자 하였다. 따라서 학교교육을 현존하는 불평등하고 불공정한 사회 구조를 재생산하는 대신에 보다 정의롭고 평등한 사회 구조의 창출을 추구해야 하는 것으로 본다.

4. 접근에 따른 교육과정

가. 처방적 교육과정

처방적 교육과정의 주된 내용은 "무엇을, 언제, 어떻게 가르칠 것인가?"에 대한 상세한 지침을 개발하는데 초점을 두고 있다. 따라서 처방적 교육과정에서 가장 중요한 것은 교육과정의 각 요소들의 내용을 엄밀하면서도 체계적으로 설계하여 제시하는 일이다. 이런 관점에서는 교육과정 전문가란 교육과정 개발 전문가를 의미한다.

교육과정 개발 패러다임은 보빗(F. Bobbitt), 타일러(R. Tyler), 블룸(B. Bloom), 메이거 (R. Mager), 타바(H. Taba)로 연결되면서 발전되었다. 교육과정 개발 패러다임에 속한 이들은 학교 교육과정을 개선하기 위한 목적에서 새로운 교육과정을 개발하거나 기존 교육과정을 개선하는데 일차적 관심을 가져야 한다고 하였다.

보빗은 교육과정 전문가의 과업이 학교의 교육과정을 개선하는 것이라고 보았다. 그는 각종 직업에 종사하는 사람들의 직무능력 분석을 통하여 표준화된 교육과정을 만들 필요가 있음을 주장하였다. 교육과정은 현 사회의 요구에 부응해야 한다고 확신한 그는 학생들이 사회에 나가서 종사하게 될 직무 활동을 분석하여 교육 목표와 내용을 설정함으로써 표준화된 교육과정을 만들고자 시도하였다.

타일러는 보빗의 학교 교육과정 개선에 대한 실천적 관심을 그대로 받아들이면서 교육과정 개발에 대한 이론을 교육 목표 설정, 학습 경험 선정, 학습 경험 조직, 평가의 네 단계로 더욱 심화 발전시켰다. 그에 의하면 교육과정 개발은 교육목표 설정에서 시작하며, 설정된 목표 달성을 위해 필요한 학습 내용의 선정과 조직, 평가를 통한 교육 목표 달성도 확인이라는 합리적이고 체계적인 절차를 제시하였다.

블룸은 타일러의 교육과정 개발 패러다임을 계승 발전시키는데 있어, 교육 목표를 인지적 영역, 정의적 영역, 심동적 영역으로 구분한 다음, 각 영역별로 목표 수준을 세분화하고자 노력하였다. 특히 인지적 영역의 교육 목표를 지식, 이해, 적용, 분석, 종합, 평가의 6단계로 세분화하였다. 블룸이 이처럼 목표를 세분화한 이유는 목표를 종횡으로 세분화하여 제시함으로써 교육관계자들 사이에 의사소통을 원활하게 하고 교육의 결과를 평가하고 확인하는데 도움을 주기 위해서였다.

메이거도 타일러의 교육과정 개발 패러다임을 계승 발전시켰다. 블룸이 교육 목표를 포괄적이고 체계적으로 분류하여 제시하는데 관심이 있었던 반면, 메이거는 수업 장면에서 수업 목표를 어떻게 진술하는 것이 바람직한가에 주된 관심을 가졌다. 메이거는 수업 활동 후 목표 달성 정도를 확인하기 위해서는 수업 목표를 매우 구체적으로 진술해야 함을 강조하였다. 그는 좋은 수업 목표 진술의 조건으로 도착점 행동, 상황조건, 수락준거를 제시하였다.

타바도 타일러의 교육과정 개발 패러다임을 계승 발전시킨 연구가로서 타일러의 교육과정 개발 절차를 그대로 수용하면서, 교육과정 개발에 있어 교육내용 자체의 논리적 조직을 위한 아이디어와 학습자를 고려한 교육과정의 심리적 조직에 대한 아이디어를 이원적으로 고려해야 함을 제안하였다. 이러한 원칙하에 타바는 타일러의 교육과정 개발 네 단계를, 요구의 진단, 목표의 설정, 내용의 선정, 내용의 조직, 학습경험의 선정, 학습경험의 조직, 평가내용, 방법 및 수단의 결정이라는 일곱 단계로 확대 발전시켰다.

나. 이해적 교육과정

이해적 교육과정의 주된 내용은 "무엇을, 왜, 어떻게 가르치고 있는가?"를 이해하는 것에 일차적 관심을 둔다. 따라서 이해적 교육과정은 교육 현실을 처방하기 위한 원리나 규칙 개발에 앞서, 교육현상을 관찰, 기술, 분석하고 다양한 담론들을 도입하여 교육과정을 보다 체계적으로 이해하고자 노력할 필요가 있다는 것이다. 이런 관점에서는 교육과정 전문가란 교육과정 이해 전문가를 의미한다.

교육과정 이해 패러다임은 애플(M. Apple), 지루(H. Giroux), 맥클라렌(P. McLaren) 등을 중심으로 전개되는 교육과정에 대한 담론, 파이너(W. Piner), 반 마넨(M. van Mannen), 아모키(T. Aoki), 구루메(M. Grumet) 등을 중심으로 전개되는 현상학적 담론, 아이즈너(E. Eisner) 등을 중심으로 전개되는 미학적 담론, 밀로(J. Miller) 시어즈(J. Sears) 등을 중심으로 전개되는 여성해방적 담론, 체리홈스(C. Cherryholmes), 레이더(P. Lather), 돌(M. Doll) 등을 중심으로 전개되는 탈근대성의 담론 등이 있다.

애플은 학교 교육과정이 중립적이라기 보다는 정치적이라고 보았다. 그는 권력에 따라 선택된 특정 지식은 공식적인 지식으로 간주되고 다른 지식은 학교 지식의 권위를 인정받을 수 없음을 주장하였다. 학교교육이 지닌 이런 이데올로기적 성격을 드러내고 평등하고 정의로운 사회를 이루기 위해서는 교육과정에 대한 이데올로기적 비판이 필요하며, 기존 헤게모니를 대처할 대항 헤게모니를 발달시킬 필요가 있음을 주장하였다.

파이너는 교육과정에 대한 문학적 접근을 강조하였다. 그는 이른바 과학적 논리와는 구분되는 개인적인 삶의 이야기가 중요하다고 강조하였다. 교육활동에 대한 개인의 의미 부여나 의미 이해가 가능한 개인적이고 실제적인 지식이 중시될 때, 교육에 참여하는 교사나 학생의 이야기, 즉 내러티브가 중요한 의미를 지니게 된다는 것이다. 이런 맥락에서 개인의 이야기는 단순히 한 개인의 자의적인 이야기로 그치는 것이 아니라 공식적인 기록, 자료, 역사적 문서로 보충되는 생애사 연구로 발전되고, 이런 생애사 연구는 다시 자기 반성과 사회역사적 맥락에 기반한 메타이론적 의식을 창출하는 자서적 방법으로 발전되며 이해적 교육과정으로 의미를 지니게 된다는 것이다.

아이즈너는 교육과정에 대한 미학적 이해를 추구하였다. 그는 교육을 제대로 이해해기 위해서는 과학이나 공학적인 접근보다는 예술적인 접근이 필요함을 주장하였다. 예술적인 관점으로 교육을 이해하기 위해서는 수업의 목표를 행동적으로 진술하기보다는 표현 목표나 문제해결형 목표를 진술할 필요가 있음을 주장하였다. 더 나아가 평가 역시 미리 제시된 행동적 목표의 달성 정도를 수량화하여 확인하는 것보다는 전문가의 감식안과 비평을 통해 예술 작품을 평가하는 것과 유사한 방식으로 교육 평가가 이루어져야 함을 주장하였다.

이러한 교육과정에 대한 새롭고 다양한 담론들은 현대사회가 지닌 다양한 진리관, 세계관, 인생관, 가치관 등이 반영된 것으로서 앞으로도 끊임없이 인류가 고민하고 논의하게 될 쟁점들이라 하겠다.

VI. 교육공학

1. 전통적 교수설계

가. 글레이저 - 교수모형

글레이저(R. Glaser)는 학습 내용을 정보로 간주하여 수업 과정을 막대한 양의 정보가 신속하고 정확하게 처리되는 컴퓨터의 구조와 기능에 비교한 교수모형을 제시하였다. 그는 교수모형에서는 교수 과정을 교사에 의한 연속적인 의사결정 과정으로 보았다.

글레이저는 교수의 구성 요소와 전개 절차를 교수 목표의 설정, 투입 행동의 진단, 교수 절차, 학습 성과의 평가라는 4단계로 구분하였다. 1단계 교수 목표의 설정은 가르치고 배워야 할 내용을 의미하는 것으로 교수 목표를 설정한다는 것은 컴퓨터에서 투입할 자료를 적당한 순서로 정리하는 것처럼 학습 내용을 학습자가 쉽게 이해할 수 있도록 적절한 크기로 분류하고 적절한 차례로 정리하는 것을 뜻한다. 2단계인 투입 행동 진단은 교수활동을 진행하기 전에 학습자들의 학습 정도 또는 수준을 진단하는 것이다. 이것은 이전의 학습 단계에서 학습한 내용에 대한 학습자의 지적 능력, 발달 수준, 동기유발 상태 등을 결정하는 사회 · 문화적 요인 등을 밝히는 단계이다. 3단계인 교수 절차는 학습자에게 가르칠 내용을 교사가 직접 가르치는 과정이다. 이때 교수 절차는 교수 목표에 따라 진행되어야 한다. 4단계인 학습 성과의 평가는 설정된 교수 목표가 얼마나 달성되었는지를 평가하는 일련의 결정과 실천의 순환으로 구성된다.

글레이저의 교수모형이 너무 개괄적이어서 실용적인 가치가 결여되어있다 할지라도 교육과정과 학습지도, 그리고 교육평가를 하나의 시스템 속에 통합하여 다루고 있다는 점은 높이 평가되고 있다. 그의 교수모형은 다른 교수모형의 기초라 할 수 있을 만큼 간결하면서도 정확한 교수과정의 개념체계를 보여주고 있다.

나. 캐롤 - 학교학습모형

캐롤(J. B. Carroll)의 학교학습모형(model of school learning)은 학교에서의 학습을 촉진하고 개선하는 데 필요한 실질적이고 구체적인 전략을 제안하고 있다는 점에서 매우 중요한 교수모형이다. 그는 학습자가 성취한 학습의 정도가 학습자에게 주어진 과제를 학습하는데 필요한 시간에 대한 학습자의 실제 사용 시간의 비율로 결정된다는 명제를 제안하고 있다. 여기서 학습의 정도는 교수 목표에 진술된 도달 기준에 비추어 실제로 도달한 학습 정도를 뜻하며, 학습에 필요한 시간은 주어진 학습과제를 완전히 학습하여 교수 목표로 진술된 수준까지 도달하는 데 필요한 시간을 의미한다. 또한 학습에 사용된 시간은 학습자가 학습과제에 능동적으로 주의를 집중하여 학습에 몰두한 시간으로 학습하는 동안 수동적으로 보낸 시간은 학습에 사용된 시간에서 제외된다. 개인차에 따라 학습 속도가 다르기 때문에 학습에 필요한 시간은 학습 속도라는 개념과 대치될 수 있다.

캐롤은 학습에 필요한 시간과 학습에 사용된 시간을 결정하는 변인을 개인차 변인과 수업 변인으로 분류하였다. 그리고 개인차 변인은 다시 적성, 교수 이해력, 지구력으로, 수업 변인은 교수의 질과 학습 기회로 나누고 있다. 개인차 변인 중 적성은 최적의 교수 조건에서 주어진 과제를 완전히 학습하는데 필요한 시간을, 교수 이해력은 학습해야 할 과제의 성질과 학습 절차를 이해하는 학습자의 능력을, 지구력은 학습자 스스로 인내력을 발휘하여 학습에 많은 시간을 할당하려는 의욕과 태도로서의 학습동기를 말한다. 수업 변인 중 교수의 질은 학습 목표와 학습 방법, 그리고 학습 과제를 인식하게 하고, 과제 수행의 자신감을 갖도록 적절한 계열을 조직하여 제시할 수 있는 능력을 의미하며, 학습 기회는 학습자에게 주어진 과제를 학습할 수 있도록 실제로 허용된 시간을 의미하는 것으로 개인차에 따라 주어지는 학습 기회는 달라지는 것으로 보았다.

캐롤은 학습의 정도를 함수로 나타내었다. 즉, 학습의 정도는 학습에 사용된 시간을 학습에 필요한 시간으로 나눈 값으로 표현하였다. 여기서 학습에 필요한 시간을 결정하는 변인은 적성과 교수 이해력 및 교수의 질이며, 학습에 사용한 시간을 결정하는 변인은 학습 기회와 지구력으로 보았다. 따라서 학습의 정도를 높이기 위해서는 학습자의 적성, 교수 이해력, 지구력, 교수의 질, 학습 기회를 효과적으로 조정할 것을 제안하였다.

다. 가네 - 학습위계 및 학습조건

가네(R. M. Gagné)는 인간의 학습이 단순한 것에서 복잡한 것으로, 저차원에서 고차원으로 발전하는 위계를 이루고 있으며, 한 단계의 학습은 다음 단계의 학습에 필수적인 선행요건이 된다는 학습위계(learning hierarchy)에 기초를 두고 있다. 또한 효율적인 교수를 위한 학습 조건(condition of learning)으로 내적 조건과 외적 조건을 모두 고려해야 하며, 특히 외적 조건을 통제하는 것이 교수의 핵심이라 하였다.

학습위계는 학습의 결과가 학습자의 서로 다른 특성과 구조, 학습자에 따른 상이한 조건과 성향 등에 따라 달라지며, 학습의 유형 분류로 언어정보, 지적기능, 인지전략, 운동기능, 태도의 다섯 가지를 제시하였다. 언어정보(verbal information)는 자신의 생각을 말할 수 있는 학습된 능력이며, 지적기능(intellectual skill)은 문자와 숫자 등과 같은 상징적 부호를 이용할 수 있는 개인 내부의 지적 작용이며, 인지전략(cognitive strategy)은 개념이나 원리를 이용하는 지적 기능의 특수한 영역으로 개인 자신의 행동을 지배하는 전략적인 지적 기능이다. 운동기능(psycho-motor skill)은 비교적 단순한 운동 반응 계열이 좀 더 복잡한 운동으로 통합된 신체적 기능이다. 태도(attitude)는 특정한 사물이나 인물에 대한 개인의 반응에 영향을 미치는 학습된 내재적 상태를 말한다. 가네는 이러한 다섯 가지 유형이 교수목표를 분류하는 틀이 되며, 각 학습 유형은 각기 다른 교수를 필요로 한다고 간주하였다. 즉, 수업에서 목표로 하는 학습의 유형이 다르면 학습에 필요한 조건도 다르다고 가정한다. 따라서 교수설계자가 계획하는 수업이 어떤 학습 유형에 해당하는가를 확인하는 것은 교수전략 선정에 영향을 미치는 중요한 활동인 셈이다.

학습조건에서 가네는 5가지 학브의 유형에 따라 학습의 조건이 다르다고 보았다. 학습의 조건은 내적 조건과 외적 조건으로 구분되는데, 내적 조건은 학습자가 이미 지니고 있는 학습

능력을 말하며, 외적 조건은 학습자의 행동과는 독립적인 학습 조건으로 특정한 학습을 위해 외부에서 가해지는 조건을 의미한다. 그에 의하면, 학습위계는 교수의 절차를 밝히는 것이 아니라 특정한 내용의 학습에 필요한 선행 능력, 즉 내적 조건을 보여주는 것일 뿐이며, 효과적인 교수를 위해서는 학습과제를 분석하고, 학습자가 그 과제를 학습하는 데 필요한 선행학습 능력, 즉 내적 조건을 얼마나 갖추고 있는지 파악하고, 이를 토대로 외적 조건을 준비하고 제시해야 함을 강조하였다. 가네는 학습이 일어나는 학습자의 내적 조건을 **정보처리과정**에 근거하여 설명하고, 이러한 학습과정을 촉진하는 외적 조건을 다음 9가지 수업사태로 제시하였다. 주의집중, 학습목표 제시, 선행지식 자극, 자극자료 제시, 학습안내 제공, 학습수행 유도, 피드백 제공, 수행평가, 파지 및 전이 촉진의 9가지 수업사태는 학교교육뿐만 아니라 기업교육에서도 널리 활용되며 기본적인 교수설계이론으로 평가받고 있다.

라. 메릴 – 교수설계

메릴(M. D. Merrill)은 가네의 학습의 유형을 보다 간편화시킨 '수행-내용 행렬'과 각 학습유형별 교수방법을 처방한 일차제시형과 이차제시형에 대한 설명으로 내용요소제시이론을 제시하였다.

'**수행-내용 행렬**'은 가네의 학습 영역 분류에 기초하여 내용의 범주를 사실, 개념, 절차, 원리 4가지로 구분하고, 교수목표를 달성했을 때 나타나는 수행의 수준을 기억하기, 활용하기, 발견하기 3가지로 구분하였다. 따라서 생성되는 수행-내용 결합수는 총 12가지가 나오는데, 사실-발견하기와 사실-활용하기를 제외한 총 10가지 학습유형 범주가 도출된다.

내용요소제시이론에서 각 학습유형의 학습을 촉진시키는 외적조건으로 일차제시형과 이차제시형을 제시한다. 일차제시형은 모든 학습유형이 일반성이나 사례를 설명하거나 탐구질문하는 4가지 주제-제시 행렬 속에서 모든 교수내용을 기본적으로 제시할 수 있다고 보았다. 일차제시형은 목표 성취를 위한 가장 기본적인 자료 제시방법에 해당하며 수업의 뼈대 역할을 한다. 이차제시형은 학습을 도와주기 위한 세부 전략으로 맥락 정교화, 선수학습 정교화, 기억촉진 정교화, 도움 정교화, 표현 정교화, 피드백 정교화를 말한다. 이러한 일차제시형과 이차제시형은 학습유형 범주에 맞추어 적절히 선택하여 활용해야 한다.

내용요소제시이론은 수업현장에서 교사가 특정 학습과제 유형을 가르칠 때 보다 쉽게 10가지 범주로 학습유형을 분류하고, 이에 적합한 교수전략을 일차제시형과 이차제시형으로 적절히 선택할 수 있도록 제안하였다. 제시, 연습, 피드백, 평가 전략으로 구성되느 sahems 처방들을 종합하여 제시하고, 교사 및 교수설계자가 의도에 따라서 선택할 수 있는 형태로 교수전략 처방을 체계화하였다는 점에서 의의가 있다.

마. 라이겔루스 – 교수설계

라이겔루스(C. M. Reigeluth)는 교수의 변인을 조건(conditions), 방법(methods), 결과(outcomes)의 세 가지 범주로 분류하여 다양한 변인을 포괄한 교수설계이론(instructional design theories)에 접근하였다.

조건 변인은 방법 변인에 영향을 미치는 교수의 한 영역으로, 교과내용의 특성, 목적, 제약조건, 학습자 특성 등 네 가지로 제시하였다. 교과내용의 특성은 특정 교과의 내용이 어떠한 지식을 다루며 그 지식의 구조는 어떠한지를 포함하는 개념이다. 목적이란 가르치고자 하는 지식 또는 기술의 수준이나 정도를 규정하는 것을 의미한다. 제약조건은 시간, 기자재, 교수자료, 인원, 재정, 자원 등의 고려해야 할 변수를 말한다. 학습자의 특성은 학습자의 적성, 태도, 지속력, 학습동기, 선행학습 등을 의미한다.

방법 변인은 조직전략, 전달전략, 관리전략의 세 가지 전략적 측면으로 제시하였다. 조직전략은 미시적 및 거시적으로 가르치고자 하는 개념들에 관한 교수를 조직하는 것을 말한다. 전달 전략은 교수 과정을 이끌어가면 학습할 정보를 학습자에게 전달하고, 평가하고, 피드백하는 것을 의미한다. 관리 전략은 교수 과정의 어느 부분에서 어떠한 조직 전략과 전달 전략의 요소를 사용할 것인가와 관련된 전략이다.

결과 변인은 효과성, 효율성, 매력성이라는 세 가지 측면으로 분류하였다. 효과성은 교수의 내용을 학습자가 어느 정도 획득하였는가에 의해 측정되며, 특정 교과 내용이나 목적 달성 여부와 밀접한 관련이 있다. 효율성은 교수 효과가 어느 정도의 노력이나 시간 또는 비용을 들여 나타났느냐에 관심을 가진다. 매력성은 학습자가 학습을 어느 정도나 계속하기를 원하느냐에 따라 결정된다. 또한 학습자가 교과 내용에 대한 흥미나 교수 전략을 이해하고 있는 정도가 교수 매력성의 척도가 될 수 있다.

정교화 이론은 교육과정이나 코스 수준에서 교수내용을 어떻게 조직해야 하는가를 설명한 이론으로 거시적 수준의 조직전략에 해당된다. 정교화 이론은 전형이라 불리는 교수내용을 대표하는 소수의 일반적, 간단한, 구체적인 아이디어나 원리를 확인하고, 이를 정교화하는 과정을 설명한다. 적용수준에서 한 두 가지의 가장 기본적인 간단한 원리만을 제시하여 가르치고, 단순에서 점차 복잡해지는 순서로 교수내용을 정교적 계열화한다. 메릴이 이론보다 교육현장에서 보다 쉽게 이해할 수 있게 인지적 영역의 학습과제 유형을 구분하고, 이에 적합한 교수전략을 보다 체계적이고 처방적으로 제시하였다고 평가받는다. 학습과제 유형별 교수전략을 처방하고, 거시적 수준에서 교수내용의 선정과 계약화하는 방법에 대한 안내를 제공함으로써 교수설계이론 발전에 기여하였다.

바. 켈러 - ARCS 모형

켈러(Keller)는 가네, 메릴, 롸이겔루스의 이론이 인지적 영역의 수업 목표 달성을 위한 교수전략 처방에 초점을 둔 것과 달리, 학습자의 학습동기를 유발하고 유지함으로써 수업의 매력성을 높이는 교수전략들을 제시하는 ARCS(Attention, Relevance, Confidence, Satisfaction) 모형을 제안하였다.

ARCS 모형은 학습동기 유발 및 유지를 위해 주의집중(Attention), 관련성(Relevance), 자신감(Confidence), 만족감(Satisfaction) 4가지 요소가 중요하다고 설명하고, 각 요소를 촉진시키는 전략을 제시하였다. 학습동기와 관련하여 주의집중을 위해 수업 초반부에 지각적 또는 탐구적 주의환기를 시키고, 학습자의 흥미를 지속시키기 위해 다양성 전략을 사용한다. 수업에 대한 학습자의 관련성을 높이기 위해서는 친밀성, 목적지향성, 필요나 동기와의 부합성 강조

전략을 사용하고, 자신감을 높이기 위해서는 학습의 필요조건 제시, 성공의 기회 제시, 개인적 조절감 증대 전략을 사용한다. 만족감은 유발된 학습동기의 지속에 영향을 주는데 만족감을 높이기 위해 학습한 내용의 적용 기회를 제공하는 자연적 결과 강조, 강화와 보상을 활용한 긍정적 결과 강조, 공정성 강조 전략을 사용할 수 있다.

ARCS 모형은 교수자가 교수설계시 학습동기 측면에서 학생들의 문제를 확인하고 이에 대한 처방을 할 수 있도록 동기유발 교수전략들을 종합하여 제공함으로써 기존 교수설계이론들이 다루지 못했던 매력적인 수업설계에 중요한 공헌을 하였으며, 다른 교수설계이론들과 함께 활용할 수 있다는 효용성을 지니고 있다.

2. 대안적 교수설계

가. 순환적 교수설계

윌리스(Willis, 1995)는 한 단계가 끝나야 다음 단계로 진행되는 순서적이고 선형적인 체계적 설계모형의 단점을 극복하기 위해 구성주의적 이론에 기반한 순환적 교수설계모형을 제안하였다. 순환적 교수설계모형(R2D2)은 순환적(recursive)이고, 반성적(reflective)인 설계(design)와 개발(development)이라는 용어를 나타낸 것으로, 기존의 교수설계가 순차적이고 선형적인 체계적 설계라는 부분을 극복하기 위해 구성주의적 이론에 기반한 대안적 교수설계모형으로 제안되었다.

R2D2 모형은 구성주의적 아이디어를 교수설계 과정에 적용하기 위한 모형이기 때문에 일련의 교수설계 단계를 제공하기 보다는 설계시 필요한 일반적인 지침을 제공한다는 측면에서 다른 모형과 차별성이 있다.

R2D2 모형의 세 가지 일반적인 원리는 순환적, 반성적, 참여적인 설계이다. 순환적 원리는 비선형적 모형을 의미한다. 기존의 선형적이고 체계적인 모형들과는 달리 학습목표와 내용, 교수학습 활동들이 초기 과정에서 명세화되기보다는 점진적으로 도출되는 것으로 본다. 따라서 설계절차는 순서적으로 진행되기 보다는 설계 프로젝트가 이해되는 순서대로 완성되고 설계자들은 설계 과정을 통해 지속적으로 문제를 반복해서 점검해 나간다는 것이다. 반성적 원리는 실생활 문제들이 비구조화되어 있고 기존 방식으로 해결하기 어려운 상황이라는 점에서 이러한 문제들을 즉흥적이면서도 신중한 방식으로 해결하려고 노력한다는 점에서 반성적으로 본다. 참여적 원리는 학습자들이 참여자이지 관찰자가 아니며 모든 참여자들은 그들이 하는 일의 전문가들로 간주해야 한다는 것이다.

R2D2 모형은 세 가지 초점인 확인, 설계와 개발, 확산을 삼각형으로 묘사하였다. 기존의 전통적인 교수설계모형의 설계 시작은 다양한 분석활동인 학습자분석, 과제 및 개념 분석, 목표 분석 등의 주요 확인 활동이다. 이러한 확인 활동은 교수설계 전문가에 의해 이루어지며 설계가 이루어지기 전에 완료되어야 한다. 하지만 R2D2 모형은 참여팀을 만드는 것으로 시작한다. 참여팀에서 교수자는 모든 내용을 알고 모든 의사결정을 내리는 전문가가 아니라 다양한 전문가 그룹을 이끄는 촉진자가 된다. 교수설계자는 설계과정을 촉진하고 설계팀의 다른

구성원들과 의사결정을 공유하고, 문제를 같이 탐색한다. 이러한 확인은 전체 과정에 걸쳐 반복적으로 활용된다. 기존의 전통적 설계와 개발은 분리된 활동으로 진행되었다. 개발은 기술적인 문제와 연결되어 비용이 많이 들기 때문에, 설계가 온전히 진행된 이후에 개발이 진행되었다. 하지만 최근 기술의 발달로 개발이 쉽게 이루어질 수 있으며, 프로토타입의 개발을 통한 수정과 보완이 가능해졌기 때문에 설계와 개발은 통합된 단계로 진행된다. 기존의 전통적 모형에서는 확산을 위해 형성평가, 총괄평가 등 효과성을 측정하지만, R2D2 모형은 각각의 맥락에 때라 효과성이 다뤄져야 한다고 한다. 구성주의적 접근에서는 개개인에 따라 다른 목표를 가지게 되므로 개개인의 다양성을 반영하기 위한 대안적 방법으로 저널, 프로젝트, 포트폴리오 등을 권장한다.

나. 총체적 교수설계

메리엔 보어(van Merrienboer, 2002)는 복잡한 학습을 위한 교수학습모형으로 4C/ID(4 Component Instructional Design) 모형을 제시하였다. 복잡한 학습은 지식과 기능, 태도의 통합과 질적으로 다른 구성요소로 이루어진 기능들의 조화, 학습한 것을 일상적인 삶이나 작업 상황에 전이하는 것을 목표로 한다. 복잡한 과제는 프로젝트학습, 문제기반학습, 역량기반학습과 같은 교육방법들에서 다뤄진다. 이러한 접근법들의 공통점은 교수학습의 출발점으로 실생활에 기반을 둔 실제적 학습과제를 강조한다는 점이다. 또한 그런 과제를 통한 학습이 학습자로 하여금 지식, 기능, 태도와 부분 기능들을 통합하게 해줄 뿐만 아니라 학습한 것을 새로운 상황에 전이하게 해준다는 점이다. 교수설계이론은 전문적 역량이나 복합적인 인지 기능을 배워서 실세 세계의 맥락에 전이할 수 있는 훈련 프로그램을 설계할 수 있도록 안내해야 하며, 이러한 목적을 달성하기 위해서는 총체적 접근이 시도되어야 한다는 것이다.

총체적 교수설계의 핵심적인 특징은 첫째, 유의미하고 전체적인 학습 과제에 초점을 맞추고, 둘째, 학습자들이 전체적 과제의 다양한 측면들을 조합하도록 도와주기 위해 스캐폴딩을 사용하며, 셋째, 학습의 전이를 지원하기 위해 학습을 유도하기 위한 방법을 사용한다. 이러한 총체적 설계 모형으로 4C/ID 모형이 개발되었다. 이 모형은 학습과제, 지원적 정보, 절차적 정보, 부분과제 연습이라는 네 가지 요소로 설명된다.

학습과제(learning task)는 모형의 핵심적인 부분으로 구획화를 피하기 위해 각 학습과제는 전체적인 과제로 제공된다. 4C/ID 모형에서는 복잡성을 다루기 위한 두 가지 전략을 제안한다. 첫째는 비교적 간단한 학습과제에서부터 시작해서 점진적으로 보다 어려운 과제를 진행하는 것이다. 둘째는 학습자에게 안내와 지원을 제공하는 것이다. 학습자의 수준이 높을수록 지원의 수준이 감소하게 된다.

지원적 정보(supportive information)는 문제해결과 추론을 요구하는 과제의 측면인 비순환적 구성요소 기술을 학습하는데 중요하다. 지원 정보는 하나의 영역에서 문제에 접근하는 방법과 그 영역이 어떻게 조직되어 있는가에 대한 설명을 제공한다. 다양한 학습과제를 효과적으로 학습하기 위해 알아야 할 것을 연결해 주는 연결고리의 역할을 한다.

절차적 정보(procedural information)는 순환적 구성요소 기술의 학습에 중요하다. 이것은 학습자들이 학습 과제의 반복적인 측면을 어떻게 수행하야 하는지를 알려준다. 이것은 직접적이고 절차적인 교수의 형태가 될 수도 있고, 작업 보조도구나 간단한 참조문의 형태가 될 수도 있다. 절차적 정보는 학습과제의 반복적인 측면과 관련이 되기 때문에 학습자가 그 과제를 수행하기 위해 첫 번째로 필요로 할 때 제시되고 다음 학습 과제를 할 때에는 즉시 소거되는 것이 가장 좋다.

부분과제 연습(part-task practice)은 특정한 순환적 과제에 매우 높은 수준의 자동성이 요구될 때 학습자에게 제공되는 연습 항목을 말한다. 특정한 순환적 측면에 대한 부분과제 연습은 이 측면이 전체 학습과제로서 소개된 이후에 시작되어야 하고, 학습자들은 유용한 인지적 맥락 안에서 연습을 시작할 수 있다.

다. 구성주의 교수설계

조나슨(Jonassen, 1999)은 학습은 학습자 개인이 경험을 통해 세계를 이해하고 해석하는 것이며, 학습을 촉진하기 위해서는 직접적인 교수가 아닌 학습이 발생할 수 있는 학습환경을 개발하는 것이 교수설계의 중요한 목적으로 보는 구성주의 학습환경 설계 모형(Constructivist Learning Environment)을 제시하였다.

구성주의 학습환경 설계 모형은 문제/질문/프로젝트를 중심으로 구성되어 있으며 다양한 해석적, 지적 지원 시스템이 그 주위를 둘러싸고 있다. 학습자의 목표는 문제를 해석하고 해결하거나 프로젝트를 완성하는 것이다. 관련된 사례나 정보 자원들은 문제의 이해를 돕거나 가능한 해결책을 제시한다. 인지적 도구들은 학습자가 문제를 해석하고 조작하는 것을 돕고 대화/협력 도구들은 학습공동체가 문제의 의미를 협상하고 재구성할 수 있게 하며, 사회적/맥락적 지원 체제는 사용자가 구성주의 학습환경을 실행하는 것을 돕는다.

구성주의적 학습환경 모형에는 구성주의적 학습환경에서 학습자들이 수행하는 활동들뿐만 아니라 그들을 지원하기 위해 제공되어야 할 교수 활동이 표시되어 있다. 이들 교수 활동들은 모델링, 코칭, 스캐폴딩으로 분류된다. 모델링은 외현적 행동에 대한 모델링과 내재적 인지과정에 대한 모델링의 두 가지가 존재한다. 행동에 대한 모델링은 바람직한 수행에 대한 예를 제공해 주는 것으로 수행에 포함되는 개별 세부활동과 의사결정 과정에 대한 정보를 제공해 준다. 인지과정에 대한 모델링은 전문가가 과제 수행시 사용하는 추론과 의사결정을 위한 인지과정을 보여준다. 모델링이 전문 수행자의 수행에 초점을 맞춘다면 코칭은 학습자의 수행에 초점을 둔다. 코칭은 학습자에게 동기를 부여하고, 학습자의 수행을 분석하며, 피드백을 제공하고, 학습한 내용에 대한 반성적 사고와 명료화를 유발한다. 모델링은 전문가의 수행에 초점을 맞추며, 코칭은 학습자의 수행에 초점을 두는 반면 스캐폴딩은 과제, 환경, 교사에 초점을 맞추며 학습자를 지원하는 더 체제적인 접근이다. 스캐폴딩은 학습자의 능력을 넘어서는 과제 수행을 지원하기 위한 틀을 제공하며 수행되는 과제의 본질적 특성에 초점을 둔다.

Ⅶ. 교육평가

1. 평가관점

가. 선발적 관점

선발적 관점이란 평가를 통해 학생들을 능력에 따라 서열화할 수 있으며 이를 기초로 우수한 능력의 인재를 선발할 수 있는 근거를 마련할 수 있기 때문에 평가가 필요하다는 입장이다. 선발적 교육관이란 일부 혹은 소수의 학생들만이 원래 의도한 교육 목적이나 수준에 도달할 수 있다고 하는 교육관이다. 예전의 과거제도나 근래의 대학입학시험 등은 선발적 교육관이 기초한 선발적 평가관에 근거한 평가 형태라 할 수 있다.

사회를 구성하는 다양한 조직체는 자신의 조직을 유지하고 발전시키는 데 필요한 유능한 사람을 판별하여 선발하고자 하는 경향이 있는데, 이렇듯 유능한 인재를 선발하려는 사회적 요구가 존속하는 한, 평가의 선발적 관점은 어째서 평가가 필요한가라는 질문에 꾸준히 중요한 답을 제공하게 될 것이다.

나. 발달적 관점

발달적 관점이란 교육은 개인의 발달을 최대한으로 증진시키기 위해 노력해야 한다. 따라서 평가 역시 이러한 기능에 공헌해야 한다는 입장이다. 발달적 관점의 평가는 학습자에게 적절한 교수학습 방법만 제시된다면 누구나 주어진 교육 목표를 달성할 수 있다고 가정하는 발달적 교육관을 기초로 구성된다. 선발적 관점의 평가는 수업과 학습의 개선에 공헌하지 못할 뿐만 아니라 학생들의 잠재 능력을 개발하여 개개인의 발달을 촉진시키는 데 적합하지 않기에 학교에서의 평가는 발달적 관점이 보다 중요하다는 입장이 발달적 관점의 핵심이다.

2. 평가유형

가. 평가기능

1) 진단평가

진단평가(diagnostic evaluation)는 학년이나 학기 혹은 단원이 시작되는 시기에 학생들의 수준을 파악하기 위해 실시하는 평가를 의미한다. 진단평가는 일반적으로 교육과정의 초기에 학생들의 기초 수준을 알기 위한 목적으로 실시되지만, 학습이 진행되는 중이라도 계속적인 결함을 보일 때에는 실시할 t 있다. 이 평가는 학습자의 선수학습 능력의 결핍 여부와 이전 학습의 성취 수준을 판정하고, 수업방법과 관련 있는 여러 특성에 따라 학생을 분류하고 교수하고자 하는 과정의 이해 여부를 확인하는 기능을 한다.

2) 형성평가

형성평가(formative evaluation)는 수업이 진행되는 도중에 교사가 자신이 가르치고 있는 내용을 학생들이 제대로 이해하고 있는지를 확인하는 방법에는 여러 가지가 있을 수 있다. 많은 교사는 다양하게 전개되는 교수 상황에서 학생들의 눈빛이나 표정을 통해 판단하거나 질문으로 확인하는 방법을 사용한다. 학습 및 교수가 진행되고 있는 유동적인 상태에서 학생에게 피드백을 주고, 교과과정과 수업방법을 개선하기 위해 실시하는 평가다. 이 평가는 교사와 학생에게 학습 진도에 관한 피드백을 제공하며, 단원의 내용과 구조 속에서 오류가 발생한 부분을 규명한다. 또한 학습관을 교정하고 교사의 지도방법과 교육과정을 개선하며, 학습 진행 속도를 조절하게 하는 기능을 한다.

3) 총괄평가

총괄평가(summative evaluation)는 우리가 흔히 치르는 중간고사나 기말고사와 같이 일정 기간 동안의 수업이 종결되었을 때, 학생들이 학업 성취도를 종합적으로 평가하여 수업활동의 효율성에 대해 판단하는 것을 총괄평가라고 한다. 단원, 학기, 학년의 종료 시에 이루어지는 것으로 학점을 인정하거나 성적을 확정하는 기능을 한다. 총괄평가 결과는 학생들의 등수나 등급을 확정하거나 합격 또는 불합격을 판정하거나 상벌을 수여하는 근거로 이용된다. 따라서 총괄평가는 학생들이 그동안 배운 학습 내용을 대표하는 문제를 적절히 표집하여 출제해야 한다.

나. 평가기준

1) 규준평가

규준(norm)이란 원점수의 상대적인 위치를 설명해주기 위하여 쓰이는 잣대로 모집단을 대표하는 표본에서 얻어진 점수에 기초하고 있다. 규준평가(norm-referenced evaluation)는 소속된 집단 속에서 개인이 다른 사람보다 얼마나 더 성취하였느냐 하는 상대적인 서열을 강조하는 평가체제. 따라서 피험자들을 중복되지 않게 서열지을 수 있는 규준을 작성하고, 이 규준을 기초로 우수자와 열등자를 구분하는 데 중점을 둔다.

2) 준거평가

준거(criterion)란 학습자가 어떤 일을 수행할 수 있다고 대중이 확신하는 지식 혹은 기술 수준을 의미한다. 준거평가(criterion-referenced evaluation)는 평가 대상자가 사전에 결정된 특정한 준거 또는 목표를 얼마나 성취하였는지에 초점을 두며, 개인의 성취 수준에 대한 의미를 다른 사람들의 성취 정도와 상대적으로 비교하지 않는 평가를 말한다. 준거참조평가에는 교육 목표의 달성에 도움을 주는 진단적 기능 및 형성적 기능이 중시되며, 이를 목표지향평가 라고도 부른다.

3. 평가모형

가. 타일러 - 목표중심모형

타일러(Tyler, 1950)는 교육평가를 설정된 교육목표에 따라 적합한 교육내용이 교수되고, 이러한 교육과정을 통해 실제로 교육목표가 실현된 정도를 가늠하는 과정으로 개념화하며, 교 육평가라는 용어를 공식적인 학문 용어로 최초로 사용하기 시작하였다. 타일러는 교육의 전체 적인 맥락 안에서 교육평가의 기능과 역할을 논의했을 뿐만 아니라 교육의 과정과 교육평가를 연계시켰다는 점에서 의의를 지닌다.

목표중심모형(goal-attainment model)에서의 교육목표는 실제로 실현된 정도가 파악될 수 있어야 하기 때문에 일반적으로 교과의 내용과 학생의 구체적인 행동이 결합된 형태로 진 술된다. 즉, 교육을 통해 학생이 성취하기를 바라는 바람직한 행동의 지속적인 변화를 교육목 표로 설정하는 것이다. 이러한 행동의 변화가 학생에게 실제로 어느 정도 일어났는가를 가늠 하는 과정이 바로 교육평가인 것이다.

목표중심모형은 검사나 측정으로부터 평가를 분리해 내어 교육평가를 하나의 독립된 학문 영역으로 발전시키는데에 공헌한 바가 크다. 명확한 평가기준(교육목표)을 제시한다는 점, 교 육과정과 평가의 논리적 일관성을 유지한다는 점은 목표중심모형이 지닌 큰 장점이라 볼 수 있다. 특히 목표중심모형은 교육에 있어서 목표의 중요성을 강조함으로써, 교육프로그램의 개 발자나 교사들로 하여금 결과 확인을 통해 자신들의 교육활동에 대한 책무성을 가지도록 자극 했다는 점에서도 의의를 지닌다.

목표중심모형의 장점은 첫째, 교육목표, 교육내용, 교육평가 간의 논리적인 일관성을 유지 한다는 점, 둘째, 명확한 평가기준에 근거하여 평가를 실시한다는 점, 셋째, 평가를 통해 목표 의 실현 정도를 파악한다는 점이다. 이러한 점에서 학교교육 현장에서 이루어지는 교육평가에 대한 사고와 실천에 가장 많은 영향을 미치고 있다. 특히 목표 중심 평가는 교육목표의 실현 가능성을 파악하기가 상대적으로 용이한 인지적 영역에 있어서 그 활용도가 크다.

나. 글레이저 - 수업평가모형

글레이저(R. Glaser)는 수업, 학습, 교수 과정의 변화에 맞추어 교육평가를 적정화시키려 는 관점을 취하고 있다. 그는 수업의 과정 각 단계에서 평가가 기여할 수 있는 기능과 역할을 제안하였다. 글레이저의 수업평가모형은 다음의 6단계로 이루어져 있다.

첫째, 기대하는 학습성과를 행동과 그것이 나타날 수 있는 조건으로 세분화시킨다. 학습 성과의 세분화란 곧 교육목표의 세분화를 의미한다. 교육목표를 세분화할 경우 수업의 방향 및 질을 결정하는데 매우 유용하며, 또한 목표지향 평가를 실시할 때 그 표준을 제공한다.

둘째, 특정한 수업 상황에 놓인 학습자의 초기 상태를 자세히 진단한다. 학습자의 시발점 행동에는 학생이 지니고 있는 지식의 정도, 지능과 같은 일반 능력 및 적성과 같은 특수 능력, 동기 상태, 학습 유형 등이 포함된다. 학습자의 초기 상태에 대한 진단 결과는 수업 프로그램의 설계와 개발, 그리고 수정을 위한 의사 결정에 많은 도움을 준다.

셋째, 최초의 수업 단계에서 위에서 얻은 학습자의 초기 상태의 교육적 상황에 적합하다고 판단되는 방법을 투입한다. 학생이 시발점 행동에 관한 정보를 기초로 각 개개인에게 가장 적절하게 적응시킨 최선의 교수 방법을 고안하도록 한다. 글레이저는 교육평가가 전체 학습자 집단을 몇 개의 소집단으로 분류하고, 각각의 소집단에 맞는 교수 변인의 효과를 탐색, 측정해 주는 역할을 해야 한다고 한다.

넷째, 학생의 학습이 진행됨에 따라 장기 혹은 단기간 적절한 시기에 학생의 성취도를 평가한다. 학생이 학습하는 과정에서 성취도를 계속적으로 평가하며, 적절한 간격을 두고 성취도 결과를 종합하고 그 의미를 분석하고 해석한다. 이러한 계속적 평가의 목적은 학습을 방해하지 않고 수업 프로그램 및 교수 전략의 개선을 도모할 수 있는 증거를 확보하는 데에 있으므로 평가 문항에서의 성패에 관한 정보뿐만 아니라, 오류의 형태, 학습 속도, 학습 유형 등이 평가의 대상이 된다.

다섯째, 수업 도중에 학생 행동의 재평가를 여러 단계에서 실시한다. 학습 도중에 학생의 행동을 계속적으로 평가하고 그 결과에 따라 교수 방법을 계속적으로 적정하게 변화시킨다. 학습 시기나 학생의 특성에 따라서 교수방법을 적정화시키기 위해서는 여러 단계에서의 계속적인 평가가 요구된다.

여섯째, 계속해서 학습-교수에 관한 정보를 누적해 나감으로써 수업체제를 개선하고 교육목표를 달성해가는 체제 개혁의 단계이다. 즉 축적된 평가의 결과를 기초로 수업 체제와 교수 방법을 개선하는 것을 의미한다.

다. 스터플빔 - 의사결정 촉진모형

스터플빔(Stufflebeam)의 1960년대 중반에 미국에서 성행하던 체제이론과 관리이론의 영향을 받아들여, 교육평가는 교육행정가가 올바른 의사결정을 내리는 데 필요한 정보를 제공하고 그 결정이 갖는 장점과 단점을 파악할 수 있도록 해주어야 한다는 입장을 주장하였다.

의사결정 촉진모형(decision-facilitation model)은 의사결정을 네 가지 단계적 유형으로 제안한다. 첫째, 계획 단계는 조직의 경영목표를 확인하거나 선정하는 등의 의사결정, 둘째, 구조화 단계에서는 목표 달성에 적합한 절차나 전략을 설계하는 등의 의사결정, 셋째, 실행 단계에서는 구조화 단계에서 결정된 절차나 전략을 행동으로 옮기는 것과 관련된 의사결정, 넷째, 결과 단계에서는 목표가 달성된 정도를 판단하고 의견을 제시하는 의사결정을 말한다.

CIPP 평가모형은 네 단계의 의사결정을 내리는 데에 도움이 되는 정보를 제공하는 기능을 한다. 스터플빔이 제안한 CIPP 평가모형은 상황평가(Context evaluation), 투입평가(Input evaluation), 과정평가(Process evaluation), 산출평가(Product evaluation)로 구성된다.

상황평가(Context)는 가장 기본적인 평가로, 교육목표를 결정하는 합리적인 기초나 이유를 제공하는데 목적이 있다. 교육 상황에서 목표가 무엇인가, 적절한 교육환경은 무엇인가 등에 대한 확인을 위해 체제분석, 조사, 문헌연구, 면접, 진단검사, 델파이기법 등의 기술적 방법을 사용한다.

투입평가(Input)는 구조화 단계의 의사결정에 도움을 주기 위한 것으로 현재 어떠한 자원이 투입되고 있고 앞으로는 어떠한 대안적 전략, 맥락 평가가 필요한가를 결정하는데 목적이 있다.

과정평가(Process)는 실행 단계의 의사결정에 도움을 주기 위한 것으로 구조화 단계에서 수립한 전략이 실행되는 과정에서 고려해야 할 점, 발생 가능한 사건, 효율성이 어떠한지에 관한 정보 등을 심사하고 개선하기 위한 것이다. 특히 문제점이나 결함 등에 관한 정보를 수집하고 이를 의사결정자에게 제공하려는 것이 주된 목적이다.

산출평가(Product)는 성취된 결과 단계에서의 해석 및 활용을 위한 것으로, 전체 과정을 통해 산출된 결과의 가치를 판단하는 데 도움이 되는 정보를 수집하여 의사결정을 하려는 사람에게 필요한 정보를 제공하는 것이 목적이다.

라. 하우스 - 사회정의모형

하우스(House)는 롤즈의 정의론을 토대로 평가에 대한 평등, 정의, 공정성 등을 중시하는 입장을 제시하였다. 그는 사회정의적 접근에서의 평가를 어떤 대상의 가치에 대해 특정 관중의 추론과 이해에 호소함으로써 이들을 설득하는 것으로 개념화 하였다. 여기서 관중은 특정한 평가와 관련하여 일정한 절차를 거쳐 선정된 집단을 의미한다.

사회정의모형에서 평가자는 논쟁, 담화, 협약 등을 통하여 관중을 설득시키려 노력하고, 평가자의 평가행위는 관중들을 얼마나 설득시켰느냐에 따라 검증된다. 평가의 이러한 과정이 마치 국민투표로 운영되는 민주주의 제도와 유사하다는 점, 그리고 판단적 접근과 달리 특별한 전문성을 지닌 평가자의 역할을 중시하지 않는다는 점 때문에 민주적 평가로 부르기도 한다.

공정성은 사회정의모형에서 무엇보다 최우선하는 기준이다. 따라서 평가를 위한 자료 수집이 얼마나 공정하게 이루어졌는가, 평가자의 논쟁이나 담화가 얼마나 공정하게 전개되었는가, 평가자가 설득하려고 하는 특정 관중이 얼마나 공정하게 선정되었는가 등이 매우 중요한 이슈가 된다.

새로운 평가방법이 교육현장에 도입될 때 관련 집단들의 이해 부족으로 인해 현실 적용이 어려운 경우가 적지 않다. 이러한 측면에서 볼 때 평가와 관련된 개인이나 집단을 설득하는 데에 평가의 초점을 둘 것을 주장하는 사회정의모형이 우리 교육현장에 시사하는 점이 있다.

4. 평가검증

가. 타당도

타당도(validity)란 측정하고자 하는 것을 검사가 진짜로 측정하고 있는가의 문제와 관련 있는 개념이다. 타당도는 검사의 가장 중요한 양호도에 관한 측정치고, 한 검사가 검사 목적을 성취할 수 있는 정도를 의미힌다. 타당도는 내용타당도, 예언타당도, 공인타당도, 구인타당도로 구분할 수 있다.

1) 내용 타당도

내용 타당도(content validity)는 흔히 안면타당도라고도 하며, 교수학습 과정에서 설정하였던 교육목표를 평가도구가 얼마나 충실히 측정하고 있느냐는 것을 결정할 때 쓰이는 타당도의 개념이다. 교수학습 과정을 거친 다음 학생에게 실시하는 검사가 타당한 평가도구가 되기 위해서는 가르치려고 하였던 내용을 충실히 측정해야 한다. 교육에서 의도하는 궁극적 목적은 보다 고차적인 것에 있지만 평가도구의 직접적 목표는 교육목표, 교육과정, 교재의 내용을 잘 측정하고 있는가로 요약할 수 있다. 이 같은 학습목표 및 교수목표를 얼마나 잘 대표하고 충실히 측정하고 있는가의 정도에 비례해서 성취도검사의 타당도는 높아진다.

2) 예언 타당도

예언 타당도(predictive validity)란 검사 결과가 미래의 행동이나 특성을 예측하는 정도를 의미한다. 따라서 타당도의 준거는 그 학생의 미래에 나타날 특성이 된다. 이와 같은 예측 가능성은 교육학이나 심리학에서 사용하는 대부분의 측정도구에서 요구된다. 특히 적성검사는 예언타당도를 가장 높은 수준으로 요구하는 측정도구다. 학생의 학업성취도를 측정하는 일반적인 시험 역시 학생이 현재 가지고 있는 지적 성취 수준뿐만 아니라 잠재적인 미래의 성취까지 예측하는 자료로 활용하려는 목적이 있다. 예언타당도를 밝히는 통계적인 방법은 먼저 시행한 측정 결과와 나중에 시행한 측정 결과 간의 상관관계를 산출하는 것이다. 그러나 예언타당도를 산출하기 위하여 피험자의 미래 행적을 추적하여 다시 측정하는 일은 그리 쉽지 않기 때문에 예언타당도를 정확히 검증할 수 있는 측정도구는 많지 않다.

3) 공인 타당도

공인 타당도(concurrent validity)는 이미 타당도를 인정받은 측정도구와 그 측정 결과가 일치한 정도를 말한다. 이때의 준거는 이미 공인되어 비교되는 도구의 측정 결과가 되는데, 예언타당도와는 달리 준거가 미래에 있는 것이 아니라 현재에 있다. 공인타당도는 예언이 아니라 공통 부분을 알아보는 것이다. 즉, A라는 검사를 새로 제작하였다면, 검사 A가 이미 같은 특성을 재는 검사로서 타당도를 인정받은 검사 B와 어느 정도 공통된 요인을 지니고 있는가, 혹은 검사 A가 검사 B를 대체할 수 있는가의 정도가 바로 공인 타당도다.

4) 구인 타당도

구인 타당도(construct validity)란 측정하고자 하는 심리적 특성의 구성 요인을 이론적으로 타당화하여 그 측정 결과를 정당화하는 정도를 의미한다. 한 검사도구가 측정하고자 하는 특성을 정의하고 상호 관련이 있는 구인들과의 관계를 명료화함으로써 구인이 존재를 정당화하며, 이를 바탕으로 실질적으로 구인을 측정하는 정도를 판단하여 검사의 구인타당도로 활용한다. 이것은 측정도구 자체의 적절성보다는 하나의 새로운 이론이나 법칙을 정립하려는 것으로, 준거의 검증과 이론을 형성하기 위한 타당도라고 할 수 있다. 구인타당도는 측정하고자 하는 구인을 정의하고 가설을 세워 경험적인 자료를 토대로 검증하는 것이다. 구인 타당화의 과정은 이론을 제기하고 정립해 나가는 과정인 이론 형성 과정과 다를 바가 없다. 따라서 구인타당도를 밝히는 통계적인 방법은 요인분석, 상관분석, 차이검증, 문항분석 등의 모든 방법이 사용될 수 있다.

나. 신뢰도

신뢰도(reliability)란 오차없이 정확하게 측정하는 정도를 의미한다. 즉 같은 평가도구로 여러 번 측정하였을 때 얼마나 일관된 측정치가 나오는가의 문제다. 신뢰도는 검사-재검사 신뢰도, 동형검사 신뢰도, 반분검사 신뢰도, 문항내적일관성 신뢰도 등으로 구분할 수 있다.

1) 검사-재검사 신뢰도

검사-재검사 신뢰도(test-retest reliability)는 한 개의 평가도구를 동일한 피험자에게 두 번 실시하여 그 전후의 결과에서 얻은 점수로 상관관계를 산출하는 접근방법을 말한다. 신뢰도를 측정하는 가장 좋은 방법은 한 집단에게 동일한 검사를 여러 번 반복하는 것이다. 그러나 인간을 대상으로 하는 심리측정에서는 이러한 방법이 현실적으로 어렵기 때문에 동일한 집단에 대한 두 번의 실시결과 간의 상관계수로 신뢰도를 추정하려는 것이다. 따라서 두 검사 결과 사이에 상관계수가 높으면 신뢰도가 높다고 할 수 있다. 이 방법은 처음의 결과와 나중의 결과 사이에 어느 정도의 안정성이 있느냐를 보는 것이기 때문에 안정성 계수라고도 한다.

2) 동형검사 신뢰도

동형검사 신뢰도(equivalent-form reliability)는 측정하려는 내용과 난이도는 같지만 형태가 서로 다른 두 개의 검사를 동일한 피험자에게 실시하여 신뢰도를 얻는 방법을 말한다. 예를 들어, 자아존중감에 대한 표준화 검사를 제작할 때 우선 자아존중감을 측정하는 서로 다른 두 검사지를 만든다. 이를 동시에 혹은 적당한 간격을 두어 동일한 집단에게 실시하고 두 검사 결과 사이의 상관계수를 측정하여 신뢰도를 얻는다. 이 방법은 기억과 연습의 효과를 극소화시키고 문항 표본에서 파생하는 오차도 오차변량으로 취급하게 된다는 장점이 있다. 이처럼 동형검사 신뢰도는 동일한 특성을 측정하고자 하는 두 검사가 얼마나 동등한 특성을 측정하느냐에 관심이 있으므로 이 방법을 통해 추정된 신뢰도를 동형성 계수라고 한다.

3) 반분검사 신뢰도

반분검사 신뢰도(split-half reliability)는 하나의 검사도구를 반으로 나누고, 나눈 두 부분을 독립된 검사로 생각하여 그 사이의 상관계수로 신뢰도를 측정하는 방법이다. 하나의 검사를 두 부분으로 나눌 때에는 문항분석을 통해 가장 동등한 문항을 양쪽으로 분배하는 것이 원칙이다. 그러나 문항 통계치를 구하는 복잡성을 피하기 위해 일반적으로 앞부분과 뒷부분으로 나누는 전후반분법, 홀수문항과 짝수문항으로 나누는 기우반분법, 난수표를 이용하여 두 부분으로 문항을 배정하는 방법, 각 문항의 내용이나 난이도 등을 주관적으로 판단하여 두 부분으로 나누는 방법 등이 사용된다.

　　4) 문항내적일관성 신뢰도

　　문항내적일관성 신뢰도(coefficient of internal consistency)는 피험자의 문항 각각에 대한 반응의 일관성 혹은 합치성의 정도로 신뢰도를 알아보는 방법을 말한다. 이는 한 문항한 문항을 각각 한 개의 검사로 생각하여 모든 문항 간의 상관도를 알아보는 것으로, 신뢰도 계수가 높으려면 검사가 한 가지 특성 혹은 능력만을 측정하는 동질적인 검사라야 한다. 이러한 내적 일관성 계수는 일반적으로 다른 신뢰도 계수에 비해 작은 값이 나타나기 때문에 한 검사의 최소한의 신뢰도라고 볼 수 있다. 내적 일관성 계수는 문항 내적 합치도라고도 한다.

<참고문헌>

강승규(2008). 학생의 삶을 존중하는 교사. 서울: 동문사

강인애(1995). 인지적 구성주의와 사회적 구성주의에 대한 간략한 고찰. 교육공학연구, 11(2), 3-20.

고영희(2016). 초등학교 교육과정 재구성의 노하우. 교육과학사.

국가교육과정정보센터(2024). 우리나라 교육과정. 한국교육과정평가원.

권영성(2009). 헌법학원론. 서울: 법문사.

교육부(2016). 2015 개정 교육과정 총론 해설

교육부(2023). 2022 개정 교육과정 총론 해설

김려수, 차인석, 한전숙(1987). 철학개론. 서울: 양서원.

김재춘, 부재율, 소경희, 양길석(2011). 예비•현직 교사를 위한 교육과정과 교육평가. 교육과학사.

김정환(역)(1972). 은자의 황혼. 서울: 서문당.

김정환(1988). 교육철학. 서울: 박영사

김정환(1995). 페스탈로치의 교육철학. 서울: 고려대학교 출판부.

김창걸(2003). 교육조직행위론. 형설출판사.

김창걸(2006). 교육행정 및 교육경영의 이론과 실제의 탐구. 서울: 형설출판사.

릭 에릭슨(2019). 생각하는 교실을 위한 개념 기반 교육과정 및 수업. 학지사.

목영해(1994). 후현대주의 교육학. 서울: 교육과학사

박성익 외(2012). 교육공학의 원리와 적용. 교육과학사.

박용석(2002). 가장 자유로운 학교이야기. 서울: 문음사

박의수, 강승규, 정영수, 강선보(2011). 교육의 역사와 철학. 동문사.

법제처. https://www.law.go.kr.

서정화(1995). 최신 교사론. 서울: 교육과학사.

손인수, 정재철(1967). 서양교육사. 서울: 교육출판사

손인수, 정건영(1989). 교육철학 및 교육사. 서울: 교육출판사

송상호 외(역)(2007). 수업설계의 원리. 서울: 아카데미프레스

송영범, 강경석(2019). 혁신학교 네 가지 가치에 대한 혁신학교와 일반학교의 차이 및 변화과정 분석. 교육종합연구 17(1).

송영범, 강경석(2020). 경기도 혁신학교와 일반학교의 학교혁신풍토의 차이 및 변화과정 분석. 교육문화연구 26(1).

송영범, 강경석(2020). 경기도 혁신학교와 일반학교의 교실수업형태의 차이 및 변화과정 분석. 한국교육문제연구 38(1).

송영범 외(2019). 전학년 프로젝트 수업으로 교육과정을 다시 디자인하다. 맘에 드림.

송영범(2020). 포스트코로나 시대, 학교가 디자인하는 미래교육. 맘에드림.

송영범, 손경화(2021). 놀이로 다시 디자인하는 블랜디드 러닝. 맘에드림.

송영범(2022). 교육대전환 시대 미래교육. 맘에드림.

신화식, 김헌수(1992). 몬테소리 교육 모형. 서울: 양서원.

심미혜(2014). 하루 20분, 미국 초등학교처럼. 센추리원.

아이작 유(2017). 질문지능. 다연.

안상원, 이달우, 정종진 역(1987). 현대교육의 사상적 동향. 서울: 학문사.

안인희(1990). 루소의 교육론. 서울: 양서원.

안인희(1991). 교육고전의 이해. 서울: 이화여자대학교 출판부

안인희(1991). 현대 교육고전의 이해. 서울: 이화여자대학교 출판부

안주열(2003), 어린이 학습권에 관한 법적 고찰. 교육법학연구 15(2)

온정덕 외(2018). 교실 속으로 간 이해중심 교육과정. 살림터.

윤성한(2016). 교육과정 패러다임 쉬프트. 이담.

이경원(2016). 교육과정 콘서트. 행복한 미래.

이미숙 외(2013). 2009 개정 교육과정에 따른 초·중·고등학교 교육과정 해설 연구-증보편. 한국교육과정
　　　평가원 연구보고 CRC 2013-13. p.55.

이성대 외(2015). 프로젝트 수업, 교육과정을 만나다. 행복한 미래.

이현정 외(2017). 프로젝트 수업, 배움을 디자인하다. 행복한 미래.

임규혁, 임웅(2011). 학교학습 효과를 위한 교육심리학. ㈜학지사.

임영희 외(역)(1996). 슈타이너 학교의 참교육 이야기. 서울: 밝은 누리.

임한영(1969). 듀이 교육사상의 연구. 서울: 민중서관.

조석훈, 김용(2007). 학교와 교육법. 서울: 교육과학사.

조석훈(2009). 교육법의 헌법적 정당성: 헌법재판소의 위헌판례를 중심으로. 교육법학연구 21(2),
　　　325~350.

조태원(2012). 학생의 학습권과 교원의 교육권의 범위와 한계: 판례를 중심으로. 성균관대학교 일반대학
　　　원 박사학위논문.

존 라머(2015). 프로젝트 수업 어떻게 할 것인가?. 지식 프레임.

차석기(1986). 교육사 교육철학. 서울: 집문당.

채사장(2017). 지적 대화를 위한 넓고 얕은 지식(철학 편). 한빛비즈.

최동희, 김영철, 신일철(1985). 철학. 서울: 일신사.

황정규(1998). 학교 학습과 교육평가. 서울: 교육과학사.

A. Bandura, *Social Foundations of Thoghts and Action* (Englewood Cliffs, N. J. : Prectice-Hall,
　　　1986) ; "Perceived Self-Efficacy in Cognitive Development and Functioning," *Educational
　　　Psychologist*, 28(1993)

A. Etzioni, *Modern Organizations* (Englewook Cliff, N. J. : Prentice-Hall Inc., 1964),

Abraham H Maslow, Motivation and Personality(Nes York : Harper and Row, 1954).

Albert Reble, *Geschichte der Pädagogik*(Stuttgart: Ernst Klett Verlag, 1975),

Allan C. Ornstein, *An Instruction to the Foundations of Education*(Chicago: Rand McNally College
　　　Publishing Co., 1977),

Apple, M. (1979). *Ideology and Curriculum*. London: Routleedge & Kegan Paul.

Ausubel, D. P. (1963). *The psychology of meaningful verbal learning.* New York: Grune & Stratton.

B. Weiner, *An Attributional Theory of Motivation and Emotion* (N. Y. : Springer-Verlag, 1986).

Bandura, A. (1986). Social foundations of thought and action: A social cognitive theory. Englewood
　　　Cliffs, NJ: Prentice-Hall.

Blank, G. (1990). Vygotsky: The man and his cause. In L. C. Moll (Ed.), *Vygotsky and Education*
　　　(pp. 31-58). New York: Cambridge.

Bloom, B. S. (1956). *Taxonomy of educational objectives.* Handbook I: The cognitive domain. New
　　　York: David McKay Co.

Borich, G. D. & Tombari, M. L. (1995). *Educational Psychology.* New York: Harper Collins College
　　　Publishers.

Bruner, J. S. (1966). *Toward a theory of instruction.* New York: Norton.

C. G. Miskel, R. Fevurly and J. Steward, "Organizational Structure and Process, Perceived School Effectiveness, Loyalty, and Job Satisfaction," Educational Administrative Quarterly, Vol. 15, No. 3(Fall, 1979),

Carl R. steinhoff and Robert G. Owens, "The Organizational Culture and assessment Invertory : A Metaphorical Analysis of Organizational Culture in Educational Setting," *Journal of Educational administration 27*(3),

Carroll, J. B. (1963). *A model of school learning*. Teachers College Record, 64,

Cecil Miskel, David McDonald, and Susan Bloom, "Structural and Expectancy Linkages within Schools, and Organizational Effectiveness," *Educational Administration Quarterly*, Vol. 19, No. 1(Winter, 1983),

Chris Agyris, Personality and Organization(New York : Harper & Row Publishers, 1957).

Clarke-Stewart, A., & Koch, J. B. (1983). *Chidren: Development through adolscence*. Canada: John Wiley & Sons.

Clayton P. Alderfer, Existence, Relatedness, and Growth : Human Needs in Organization Setting(New York : Free Press, 1972).

Clive Beck, "Postmodernism Ethics, and Moral Education", in: *Critical Conversations in Philosophy of Education*, ed. Wendy Kohli(N.Y.: Routledge, 1995),

Crain, W. C. (1992). *Theories of development: Concepts and applications*. Englewood Cliffs, NJ: Prentice-Hall.

Douglas M. Mcgregor, The Human Side of Enterprise(New York : McGraw-Hill Book Co., 1960).

E. A. Locke and G. P. Latham, A Theory of Goal Setting and Task Performance (Englewood Cliffs, N. J. : Prentice-Hall, Inc., 1990).

E. Yuchtman and Syanley E. Seashore, "A System Resource Approach to Organizational Effectiveness," *American Scological Review*, Vol.32(1967),

Edward J. Power, Philosophy of Education(N.J.: Prentice-Hall, 1982),

Eggen, P. D., & Kauchak, D. (1992). Educational psychology: Classroom connections. New York: Macmillan Publishing Company.

Eisner, E. W. (1979). *The educational imagination: On the design and evaluation of school programs*. New York: McMillan.

Eisner, E. W. (1985). *The art of educational evaluation*. Philadelphia: The Falmer Press.

Erikson, E. H. (1980). *Identity and the life cycle* (2nd ed.). New York: Norton.

Fosnot, C. T. (1992). Constructing Constructivism. In T. M. Duffy & D. H. Jonassen(Eds). *Constructivism and Teory of instruction(pp. 167-176)*. Hillsdale, NJ : Lawrence Erlbaum.

Frederick W. Taylor, *The Principles of Scientific Management*(New York: Harbor & Row, 1911),

Frederick Herzberg, Bernard Mausner, and Barbara Synderman, The Motivation to Work(New York : John Wiley & Sons Inc., 1959) ; and F. Herzberg, Work and the nature of Man(New York : World Publishing Co., 1966).

Fritz Blättner, Geschichte der Pädagogik(Heidelberg: Quelle & Meyer, 1973),

Fritz Heider, *The Psychology of Interpersonal Relations* (N. Y. : Willey 1958).

Gagne, R. M. (1965). *The Conditions of learning*. New York: Holt, Rinehart and Winston.

Gagne, R. M. (1977). *The Conditions of learning* (3rd Ed.). New York: Holt, Rinehart & Winston.

Gagne, R. M. (1974). *Essentials of learning for instruction*. Hinsdale, IL: Dryden Press.

Gagne, R. M. (1985). *The Conditions of learning* (4th Ed.). New York: Holt, Rinehart & Winston.

Gagne, R. M. (1985). *Conditions of learning and theory of instruction.* New York: Holt, Rinehart and Winston.

Gagne, R. M., Briggs, L. J., & Wager, W. W. (1992). *Principles of instructional design* (4th Ed.). Fort Worth, TX: Harcourt Brace Jovanovich College Publishers.

Gagne, R. M., Wager, W. W., Goals, K. C., & Keller, J. M. (2005). *Principles of instructional design* (5th Ed.). Belmont, CA: Wadsworth/Thomson Learning.

General L. Gutek, Philosophical and Ideological Perspectives on Education(Englewood Cliffs: Prentice Hall, 1988),

George F. Kneller, *Introduction to the Philosophy of Education*(N.Y.: John Wiley & Sons, Inc., 1971).

Glaser. R. (1962). *Training research and education.* Pittsburgh, PA: University of Pittsburgh Press.

Gredler, M. (2009). *Learning and instruction(6th Ed.).* Upper Saddle, NJ: Pearson Education.

H. H. Kelly, *Attribution in Social Interaction* (Moustown, H. J. : General Learning Press, 1971).

Halpin, A. W., & Croft, D. B., *The organizational climate of schools.* (Chicago: Midwest Administration Center, the University of Chicago. 1963).

Henry A. Giroux, "Introduction", in: *Postmodernism, Feminism, and Cultural Politics,* ed. Henry A. Giroux(N.Y.: State University of New York Press, 1991),

House, E. R. (1980). *Evaluation with Validity.* Beverly Hills, CA : Sage.

Howard Ozmon & Sam Craver, *Philosophical Foundation of Education*(Ohio: A Bell & Howell Co., 1976),

J. A. Akinpelu, *Philosophy of Education*(London: Macmillan Publishers, 1985),

J. Frankin. Bobbitt, "The Elimination of Waste in Education," *The Elementary School Teacher,* Vol.12, No. 6(Feb., 1912),

J. S. Adam, "Toward on Understanding of Inequity," *Journal of abnormal and Social Psychology,* Vol. 67(1963),

Jackson, P. W. (1990). *Life in classrooms.* New York.: Teachers College Press.

Jacob W. Getzels et al., *Educational Administration as a Social Process : Theory, Research, Practice* (New York : Harper & Row Publishers, 1968).

Jacob W. Getzels and Edon G. Guba, "Social Behavior and the Administrative Process," *The School Review,* Vol. 65, No. 5(Winter, 1957).

Jonassen, D. H. (1991). Objectivism versus Constructivism: Do we need a new philosophical paradigm? *Educational Technology Research and Development, 39(3),*

Joyce, B. R., & Weil, M. (1980). *Models of teaching.* Eaglewood Cliffs, NJ: Prentice Hall.

K. S. Cameron and D. R. Ettington, "The Conceptual Foundations of Organizational Culture," Organizational Culture(1989),

Keller, J. M. (1983). Motivational design of instruction. In C. M. Reigeluth (Ed.), *Instructional design theories and models: An overview of their current status.* Hillsdale, NJ: Lawrence Elbaum Associates.

Keller, J. M. (2010). *Motivation design for learning and performance: The ARCS model approach.* New York: Springer.

Klaus, M., & Kennell, J. (1892). *Parent-infant bonding.* St. Louis, MO:Mosby.

Kohlberg, L. (1958). *The development of modes of moral thinking and choice in the years 10 to 16.* Unpublished doctoral dissertation. University of Chicago. Chicago.

Kohlberg, L. (1984). *Essays on moral development: Vol. 2. The Psychology of moral development*. New York: Harper and Row.

Köller, W. (1925). *The mentality of apes*. New York: Liveright.

Leont'ev A. N., & Luria, A. R. (1968). The psychological ideas of L. S. Vygotsky. In B. B. Wolma (ED.), *Historical roots of contemporary psycholory*. New York: Harper & Row.

Leshin, C. B., Pollck, J., & Reigeluth, C. M. (1992). *Instructional design strategies and tactics*. Englewood Cliffs, NJ. Educational Technology Publications.

Lewin, K. (1942). Field theory of learning. In N. B. Henry (Ed.), Tear book: National society for the study of education, committee on the psychology of learning, 41st. part 2(pp. 215–242). Chicago: University of Chicago Press.

Mazur, J. (1990). Learning and behavior (2nd ed.) Englewood Cliffs, NJ: Prentice-Hall.

Merrill, M. D. (1983). Componant display theory. In C. M. Reigeluth (Ed.), *Instructional design theory and models*(pp. 279–333). Hillsdale, NJ: Lawrence Erlbaum Associates, Publishes.

Michael Keeley, "Problem in the Measurement of Organizational Effectiveness" Administrative Science Quarterly, 23(1978),

Myers, C. (1970). Journal citation and scientific eminence in contemporary psychology. *American Psychologist, 25,*

Nisan, M., & Kohlberg, L. (1982). Universality and variation in moral judgement: A longitudinal and crossection study in Turkey. *Child Development, 53,*

Ormrod, J. E. (1999). Human learning. (3rd ed.). Upper Saddle River, NJ: Merrill/Prentice Hall.

Philip B. Coutler, "Organizational Effectiveness in the Public Sector : The Example of Municipal Fire Protection," Administrative Science !uarterly. Vol 24, No. 1(March, 1979),

Piaget, J. (1965). *The moral judgement of the child*(M. Gabain, Trans.). New York: The Free Press.(Original work published 1932)

Piaget, J. (1970). Piaget's theory. In P. H. Mussen(Ed.), *Carmichael's mamual of psychology*. New York: Wiley.

Pinar, W. F., Reynolds, W. M., Slattery, P., & Taubman, P. M.(1995). *Understanding Curriculum*. New York: Peter Lang.

R. E. Quinn and M. R. Mcgrath, "The Transformation of Organizational Culture," in Peters J. Frost et. al. (eds.), *Organizational Culture* (Beverly Hills, CA : Sage Publisher, 1985),

R. White and R. Lippitt, "Leader Behavior and Member Reaction in Three Social Climate," in Dorwin Cartwright and Alvin Zander, eds., *Group Dynamics*(New York: Harper & Row Publishers, 1968),

Rensis Likert, The Human Organization(New York : Mcgraw-Hill Book Company, 1967),

Reigeluth, C. M., & Merrill, M. D. (1979). Classes of instructional variables. *Educational Technology, 19.*

Reigeluth, C. M. (1983). *Instructional design theories and models*. Hillsdale, NJ: Erlbaum.

Richard N. Osborn et al., Organization Theory : An Integrated Approach (New York : John Wiley & Sone, 1980),

Robin Usher & Richard Edwards, *Postmodernism and Education*(London: Routledge, 1994),

Stanley Aronowitz & Henry A. *Giroux, Postmodern Education*(Minneapolis: Unive. of Minnesota Press, 1993),

Stufflebeam, D. L., & Guba, E. (1971). *Educational evaluation and decision making*. Itasca, Ill.: F.

E. Peacock.

Stufflebeam, D. L., & Webster, W. J. (1980). An analysis og alternative approaches to evaluation. *Educational Evaluation and Policy Analysis, 2.*

Tolman, E. C. & Honzik, C. H. (1930). Introduction and removal of reward and maze performance in rats. *University of California Publications in Psychology, 4,*

Tyler, R. W. (1950). *Basic Principles of Curriculum and Instruction.* Chicago: University of Chicago Press.

Vaillant, G., & Vaillant, C. (1981). Natural history of male psychological health: Work as a predictor of positive mental health. *American Journal of Psychoatry, 138,*

Van Cleve Morris, "Existentialism and Education." *Modern Movements in Educational Philosophy,* edited by V.C. Morris(Boston: Houghton Mifflin Co., 1969),

Van Cleve Morris, Existentialism in Education(N.Y.: Harper & Row, Publishers, 1966),

van Merrienboer, J. J. G. (2007). Alternative models of instructional design: Holistic design approaches and complex learning. In R. A. Reiser, & J. V. Dempsey, *Trends and issues in instructional design and technology* (2nd Ed.), Chapter 8. OH: Pearson Education, Inc.

van Merrienboer, J. J. G., Clark, R. E., de Croock, M. B. M. (2002). Blueprints for complex learning: The 4C/ID-model, *Educational Technology, Research and Development.* 50(2),

Victor H. Vroom, Work and Motivation (New York : John Wiley & Sons Inc., 1964).

Vygotsky, L. S. (1962). *Thought and language.* Cambridge, MA: Harvard University Press.

Vygotsky, L. S. (1997). Research method. In R. W. Rieber (Ed.), *Collected works of L. S. Vygotsky: Vol 4. The history of development of higher mental functions.* New york: Plenum Press.

W. Waller, The Sociology of Teaching (New York: John Wiley & Sons, 193),

Wayne K. Hoy and Cecil G. Miskel, *Educational Administration : Theory, Research and Practice* (New York: Random House Inc., 1978).

Wayne K. Hoy and Cecil G. Miskel, *Educational Administration: Theory, Research, and Practice*, 3rd ed.(New York : Random House, 1987),

Wayne K. Hoy and Cecil G. Miskel, *Educational Administration : Theory, Research, amd Practice, 5th ed.* (New York : McGraw-Hill, Inc., 1996),

Wertsch, J. V. (1985). *Procuctive thinking.* New York: Harper & Row.

Willis, J. W. (1995). A recursive, reflective instructional design model based on constructivist-interpretivist theory, *Educational Technology, 35(6),*

Willis, J. W., & Wright, K. E. (2000). A general set of procedures for constructivist instructional design: the new R2D2 model. *Educational Technology, 40(2).*

Willis, J. W. (2009). *Constructivist instructional design(C-ID): Foundations, models, and examples.* NC: Information age publishing.

핵심만! 교양 교육학
뼈대만 간추린 교육학 개론

발　행 | 2024년 08월 23일
저　자 | 송영범
펴낸이 | 한건희
펴낸곳 | 주식회사 부크크
출판사등록 | 2014.07.15.(제2014-16호)
주　소 | 서울특별시 금천구 가산디지털1로 119 SK트윈타워 A동 305호
전　화 | 1670-8316
이메일 | info@bookk.co.kr

ISBN | 979-11-419-5442-0

www.bookk.co.kr
ⓒ 송영범 2024